Maigret w portowej kafejce

Georges Simenon

Maigret w portowej kafejce

przełożyła
Daria Demidowicz-Domanasiewicz

Wydawnictwo Dolnośląskie

Rozdział I

Pożeracz szklanek

„To najlepszy chłopak na świecie, a matka, która ma tylko jego jednego, gotowa jest za niego umrzeć. Jak wszyscy tutaj, uważam, że jest niewinny. Ale marynarze, z którymi rozmawiałem, są przekonani, że zostanie skazany, ponieważ sądy cywilne nigdy nie rozumiały morza.

Zrób, co w Twojej mocy, jakbyś to robił dla siebie. Dowiedziałem się z gazet, że zostałeś ważną figurą w Policji Kryminalnej, i...".

Tego czerwcowego ranka pani Maigret kończyła pakowanie wielkich wiklinowych walizek w mieszkaniu przy bulwarze Richard-Lenoir, którego wszystkie okna były otwarte, a Maigret, bez kołnierzyka, czytał półgłosem.

– Od kogo ten list?

– Od Jorissena. Byliśmy razem w szkole. Jest nauczycielem w Quimper. Powiedz, bardzo ci zależy, żebyśmy spędzili te osiem dni urlopu w Alzacji?

Spojrzała na niego, nie rozumiejąc, tak bardzo zaskoczyło ją to pytanie. Już od dwudziestu lat niezmiennie spędzają wakacje u rodziców, w tej samej wiosce na wschodzie kraju.

– A gdybyśmy tak pojechali nad morze?

Jeszcze raz przeczytał półgłosem fragmenty listu:

„...masz większe szanse niż ja na dokładne informacje. Reasumując, Pierre Le Clinche, dwudziestolatek, mój były uczeń, zamustrował się trzy miesiące temu na «Oceanie», trałowcu z Fécamp, który odławia dorsze u wybrzeży Nowej Fundlandii. Przedwczoraj statek zawinął do portu. Po kilku godzinach w basenie znaleziono ciało kapitana i według

5

wszelkich poszlak było to morderstwo. Zatrzymano Pierre'a Le Clinche'a....".

– W Fécamp odpoczniemy nie gorzej niż gdzie indziej! – westchnął Maigret bez entuzjazmu.

Ale napotkał na opór. W Alzacji pani Maigret była u rodziny, pomagała smażyć konfitury i robić likier śliwkowy. Przerażał ją pomysł, by mieszkać w hotelu nad morzem w towarzystwie innych paryżan.

– Co będę robić przez cały dzień?

W końcu zapakowała szycie i robótkę szydełkową.

– I nie proś mnie, żebym się kąpała w morzu! Wolę cię uprzedzić zawczasu...

O piątej przybyli do hotelu de la Plage. Pani Maigret natychmiast zabrała się za urządzanie pokoju po swojemu. Później zjedli kolację.

Teraz Maigret pchnął oszklone drzwi portowej kafejki „Au Rendez-vous des Terre-Neuvas".

Lokal znajdował się dokładnie naprzeciwko trałowca „Ocean", cumującego przy nabrzeżu, w pobliżu sznura wagonów. Ludzie pracowali przy ostrym świetle lamp acetylenowych wiszących na olinowaniu, wyładowując dorsze, które podawali sobie z rąk do rąk, ważąc je i układając w wagonach.

Pracowali w dziesiątkę, mężczyźni i kobiety, w brudnych, podartych i przesiąkniętych solą ubraniach. Przy wadze czysty młodzian w kapeluszu na bakier zapisywał w zeszycie ciężar ryb.

Zjełczały, obrzydliwy zapach, który nie słabł mimo znacznej odległości, przenikał do baru, gdzie na skutek ciepła stawał się jeszcze bardziej mdły.

Maigret usiadł na wolnym końcu ławy. Wszedł tu w porze największego gwaru, największego ruchu. Jedni stali, inni siedzieli, marmurowe blaty stolików zastawione były szklankami. Sami marynarze.

– Co dla pana?

– Jedno duże...

Do kelnerki doszedł właściciel lokalu.

– Pan wie, że obok mamy jeszcze pomieszczenie dla turystów?... Tutaj oni za bardzo hałasują!

I mrugnął okiem.

– Po trzech miesiącach na morzu, cóż, nie ma się co dziwić...

– Czy to załoga „Oceanu"?

– W większości. Inne statki jeszcze nie wróciły. Niech pan nie zwraca uwagi... Niektóre chłopaki nie trzeźwieją od trzech dni... Zostaje pan tutaj?... Założę się, że jest pan malarzem... Od czasu do czasu przychodzą tu tacy robić szkice... Niech pan spojrzy! Jeden zrobił mój portret, o tam, nad kontuarem...

Ale komisarz prawie nie zważał na gadaninę właściciela, więc tamten zmieszał się i odszedł.

– Brązowa moneta dwugroszowa! Ma ktoś brązową dwugroszówkę? – wołał marynarz nie wyższy ani nie grubszy od szesnastoletniego wyrostka.

Miał starą twarz, nieregularne rysy i braki w uzębieniu. Od alkoholu błyszczały mu oczy, a policzki pokryły się trzydniowym zarostem.

Ktoś dał mu monetę. Samymi palcami złożył ją na pół, a następnie włożył między zęby i przegryzł.

– Kto następny?

Popisywał się. Czuł, że wzbudza powszechne zainteresowanie i był gotów na wszystko, by tak zostało.

Ponieważ jakiś gruby mechanik wziął monetę, wtrącił się:

– Czekaj! To też trzeba zrobić...

Chwycił pustą szklankę, odgryzł kawałek szkła i żuł, naśladując zadowolenie smakosza.

– Ha, ha! Zawsze możecie tu przychodzić... Polej, Léon!

Patrzył wokół z miną kabotyna, aż wreszcie jego spojrzenie zatrzymało się na Maigrecie. Zmarszczył brwi.

Przez chwilę wyglądał na zbitego z tropu. Następnie podszedł, był tak pijany, że musiał oprzeć się o stolik.

– Pan do mnie? – zapytał butnie.

– Spokojnie, Mały Lolo!

– Znowu chodzi o tę sztuczkę z portfelem? No widzicie! Przed chwilą nie chcieliście mi wierzyć, kiedy opowiadałem moje historie z ulicy de Lappe... A tu, proszę, wysoko postawiony gliniarz fatyguje się specjalnie dla mnie... Pozwoli pan, że napiję się jeszcze jednego?

Teraz patrzyli na Maigreta.

– Siadaj tutaj, Mały Lolo!... Nie rób z siebie głupka!

Tamten wybuchnął śmiechem:

– Stawiasz mi jednego?... Nie! To niemożliwe! Pozwolicie, koledzy?... Pan komisarz mi stawia?

– Byłeś na pokładzie „Oceanu"?

Mały Lolo w jednej chwili się zmienił. Zasępił się tak bardzo, że wyglądał, jakby wytrzeźwiał. Nieufnie odsunął się trochę na ławie.

– I co z tego?

– Nic. Twoje zdrowie... Od jak dawna nie trzeźwiejesz?

– Zabawiamy się od trzech dni... Jak tylko zeszliśmy na ląd... Dałem pieniądze Léonowi... Dziewięćset franków z groszami... Tyle zostało!... Léon, stary zbuku, ile mam jeszcze?

– Na pewno nie tyle, żebyś mógł stawiać do rana! Zostało ci jakieś pięćdziesiąt franków. To żałosne, panie komisarzu! Jutro będzie bez grosza i zamustruje się na pierwszy z brzegu statek jako węglarz. Za każdym razem tak jest! Sam pan widzi, że nie namawiam go do picia! Wręcz przeciwnie!

– Zamknij się!

Pozostali stracili ochotę do zabawy. Rozmawiali cicho, oglądając się bez przerwy na stolik komisarza.

– Wszyscy są z „Oceanu"?

– Oprócz tego grubasa w kaszkiecie i rudzielca, który jest szkutnikiem...

– Opowiedz mi, co się stało.

– Nie mam nic do powiedzenia.

– Uważaj, Mały Lolo! Pamiętaj o wpadce z portfelem, kiedy robiłeś numer z jedzeniem szklanek w la Bastille.

– Zawsze dostawałem za to tylko trzy miesiące i naprawdę mam już tego dość... Jak pan chce, możemy iść natychmiast...

– Pracowałeś w maszynowni?

– Sie wie! Jak zawsze! Byłem drugim palaczem!

– Często widywałeś kapitana?

– Wszystkiego może ze dwa razy!

– A telegrafistę?

– Nie wiem!

– Léon! Polej...

Mały Lolo zaśmiał się pogardliwie.

– Nawet gdybym był pijany w sztok, nie powiedziałbym tego, co chciałbym powiedzieć... Ale jak pan tu jest, może pan postawić kolejkę chłopakom. Po takim podłym rejsie...

Jakiś smętny marynarz, który nie miał dwudziestu lat, szarpnął Małego Lola za rękaw. Zaczęli rozmawiać po bretońsku.

– Co on mówi?

– Że najwyższy czas, żebym poszedł spać...

– To twój przyjaciel?

Mały Lolo wzruszył ramionami, a ponieważ tamten chciał mu odebrać szklankę, prowokacyjnie ją opróżnił.

Bretończyk miał szerokie brwi i burzę kręconych włosów.

– Dosiądź się – powiedział Maigret.

Ale marynarz nie odpowiedział, tylko przysiadł się do innego stolika, mierząc obu mężczyzn ponurym wzrokiem.

Zapanowała napięta, nieprzyjemna atmosfera. Z sali obok, jaśniejszej i czyściejszej, dochodziły głosy turystów, którzy grali w domino.

– Dużo dorszy złowiliście? – zapytał Maigret, drążąc wątek z zaciętością wiertarki mechanicznej.

– Sam gnój! Niemal połowa zgniła...

– Z jakiego powodu?

– Za mało soli... Albo za dużo! Sam gnój, ot co! Nie będzie jednej trzeciej załogi, żeby się załadować w przyszłym tygodniu...

– „Ocean" wypływa?

– Do licha! A od czego silniki? Żaglowce robią tylko jeden kurs, od lutego do września. Ale trałowce mają czas, żeby dwa razy chodzić na ławicę...

– Wrócisz tam?

Mały Lolo splunął na podłogę i obojętnie wzruszył ramionami.

– Tak bym chciał pojechać do Fresnes... Świństwo!

– A kapitan?

– Nie mam panu nic do powiedzenia!

Zapalił leżący niedopałek. Miał mdłości, pospiesznie wyszedł na ulicę i zwymiotował, stojąc na skraju chodnika, gdzie dołączył do niego Bretończyk.

– Nieszczęśnik! – westchnął właściciel kawiarni. – Przedwczoraj miał w kieszeni prawie tysiąc franków! A dziś ledwie mu starczy na zapłacenie rachunku! Ostrygi i langusty! Nie licząc tego, że stawia wszystkim, jakby nie wiedział, co zrobić z pieniędzmi...

– Znał pan telegrafistę z „Oceanu"?

– Nocował tutaj. O, przy tym stoliku jadł, potem szedł pisać do innego pomieszczenia, żeby mieć spokój...

– Do kogo pisywał?

– To nie były tylko listy. Coś jakby wiersze albo powieści... Wykształcony chłopak, dobrze wychowany... Teraz, kiedy wiem, że jest pan z policji, mogę panu powiedzieć, że popełniono błąd...

– A jednak kapitan został zabity!

Wzruszył ramionami. Usiadł naprzeciwko Maigreta. Mały Lolo wrócił i podszedł do baru zamówić kolejkę. Jego towarzysz natomiast nadal zalecał mu po bretońsku zachowanie spokoju.

– Nie ma co zwracać uwagi... Jak tylko wyjdą na ląd, zawsze jest tak samo, piją, wrzeszczą, biją się, tłuką szyby... Na pokładzie działają bez zarzutu! Nawet taki Mały Lolo! Główny mechanik „Oceanu" jeszcze wczoraj mówił mi o nim, że tyra za dwóch... Na morzu puściła uszczelka pary. Niebezpieczna robota. Nikt nie chciał iść. Mały Lolo się tym zajął. Do momentu, kiedy nie pozwoli mu się pić...

Léon zniżył głos, patrzył nieufnie na klientów.

– Tym razem mają chyba inne powody, żeby się zalać... Panu nic nie powiedzą! Bo pan nie jest człowiekiem morza... Słucham, jak rozmawiają... Sam byłem kiedyś pilotem... Są sprawy...

– Jakie sprawy?

– Trudno to wyjaśnić... Pan wie, że w Fécamp brakuje rybaków na wszystkie trałowce. Ściąga się ich z Bretanii. Ci chłopcy mają swoje wyobrażenia, są przesądni...

Mówił jeszcze ciszej, ledwie słyszalnym głosem.

– Zdaje się, że tym razem chodziło o złe oko... To się zaczęło już w porcie, kiedy wypływali. Jeden z marynarzy wskoczył na bom, żeby pomachać żonie... Przytrzymał się liny, która pękła, spadł na pokład i rozwalił nogę! Trzeba było go odwieźć łódką na ląd. A ten chłopak okrętowy, który nie chciał płynąć, płakał, wrzeszczał... Po trzech dniach dostaliśmy telegraf, że porwała go fala! Piętnastolatek!... Szczupły blondynek o niemal dziewczęcym imieniu Jean-Marie... Co do reszty... Nalej nam calvadosu, Julie... Butelka po prawej. Nie! Nie ta... Tamta ze szklanym korkiem...

– Zły urok trwał nadal?

– Nie znam żadnych szczegółów... Można powiedzieć, że oni wszyscy boją się o tym mówić... Mimo to, jeśli zatrzymano telegrafistę, to policja musiała słyszeć, że podczas całego rejsu on i kapitan słowem się do siebie nie odezwali... Byli jak pies i kot!

– I co jeszcze?

– Takie tam rzeczy... Bez znaczenia. Na przykład kapitan zmusił ich, żeby ciągnęli trał w miejscu, gdzie nigdy nie złowiono ani jednego dorsza! Wrzeszczał, ponieważ szef rybaków odmówił! Wyciągnął rewolwer... Jakby im rozum odjęło! Przez miesiąc nie wyciągnęli nawet tony ryb. Potem nagle mieli udany połów... Mimo to musieli sprzedać dorsze za połowę ceny, bo ryby zostały źle przygotowane. No, wszystko! Nawet kiedy wpływali do portu, wykonali dwa złe manewry i zatopili łódź. Jakby wisiało nad nimi jakieś przekleństwo! Kapitan, który wysyła całą załogę na ląd, nie wyznaczając wachty, i zostaje na pokładzie sam, w nocy... Mogła być dziewiąta. Wszyscy byli tutaj i pili. Telegrafista poszedł do swojego pokoju... Potem wyszedł... Widziano, że poszedł w kierunku statku... I wtedy to się stało. Rybak, który szykował się do wyjścia, usłyszał w głębi portu odgłos, jakby coś spadło do wody... Pobiegł z napotkanym po drodze celnikiem... Zapalono latarnie. W basenie pływało ciało, które zaczepiło się o łańcuch kotwicy „Oceanu". To był kapitan! Wyciągnęli go. Nie żył. Wykonano sztuczne oddychanie. Nie mogli zrozumieć, przecież był w wodzie niecałe dziesięć minut. Lekarz wyjaśnił, że prawdopodobnie kapitan został wcześniej uduszony... Rozumie pan? Telegrafistę znaleźli w jego kabinie za kominem... Widać ją stąd... Policjanci przyszli do mnie przeczesać jego pokój i znaleźli spalone papiery... Co pan chce z tego zrozumieć?... Dwa calvadosy, Julie! Pańskie zdrowie!...

Mały Lolo, otoczony wianuszkiem marynarzy i coraz bardziej podekscytowany, chwycił zębami krzesło i podniósł je poziomo, spoglądając wyzywająco na Maigreta.

– Czy kapitan był stąd? – zapytał komisarz.

– Tak! Ciekawy gość! Nie wyższy i nie grubszy niż Mały Lolo! Oprócz tego zawsze grzeczny i miły! Zapięty na ostatni guzik! Wydaje mi się, że nigdy tu nie był. Nie miał żony. Wynajmował pokój u wdowy po funkcjonariuszu celnym, przy ulicy d'Etretat. Mówiono nawet, że to się skończy małżeństwem... Od piętnastu lat łowił u wybrzeży Nowej Fundlandii. Zawsze dla tej samej spółki, dla Francuskiego Dorsza. Kapitan Fallut, tak miał na nazwisko... Mają teraz spory kłopot z wysłaniem „Oceanu" na ławicę! Nie mają kapitana! A połowa załogi nie chce się ponownie zaciągnąć!

– Dlaczego?

– Nie ma co szukać wytłumaczenia! Już mówiłem, że to złe oko... W grę wchodzi roztaklowanie statku aż do przyszłego roku. Ponadto policja poprosiła załogę, żeby pozostawała do jej dyspozycji...

– Telegrafista jest w areszcie?

– Tak! Zabrali go tego samego wieczoru, w kajdankach i... Stałem na progu... Powiem panu prawdę: żona płakała... A ja sam... A przecież nie był to nadzwyczajny klient. Dawałem mu zniżki. Prawie nie pił...

Nagle przerwał im jakiś hałas. Mały Lolo rzucił się na Bretończyka, pewnie dlatego, że tamten uparcie przeszkadzał mu w piciu. Obydwaj zwalili się na podłogę. Pozostali rozstąpili się.

Rozdzielił ich Maigret, dosłownie unosząc każdego z nich w jednej ręce.

– I co? Chcecie sobie skakać do oczu?

Incydent trwał krótko. Bretończyk, który miał wolne ręce, wyciągnął z kieszeni nóż. Komisarz zauważył w samą porę i posłał go kopniakiem dwa metry dalej.

But sięgnął podbródka, który teraz krwawił. Mały Lolo, na chwiejnych nogach, pijany, rzucił się na kolegę z przeprosinami.

Léon, z zegarkiem w ręku, podszedł do Maigreta.

– Pora zamykać! W przeciwnym razie zaraz się tu zjawi policja... Co wieczór ta sama komedia! Nie można ich wyrzucić na dwór!

– Śpią na pokładzie „Oceanu"?

– Tak... Jeśli nie leżą w rynsztoku, jak to się wczoraj zdarzyło dwóm z nich... Znalazłem ich dziś rano, kiedy otwierałem okiennice...

Kelnerka zbierała szklanki ze stołów. Mężczyźni wychodzili grupkami, po trzech, czterech. Tylko Mały Lolo i Bretończyk pozostali na miejscach.

– Chce pan pokój? – zapytał Léon Maigreta.

– Dziękuję! Zatrzymałem się w hotelu de la Plage!

– Proszę powiedzieć...

– Co?

– Nie chodzi o to, że chcę dawać panu rady... To nie moja sprawa. Tylko że byliśmy przywiązani do telegrafisty... Może nie byłoby źle, gdyby poszukał pan kobiety, jak to piszą w powieściach... Słyszałem takie pogłoski...

– Pierre Le Clinche miał kochankę?

– On? Och, nie! Był zaręczony i codziennie wysyłał sześciostronicowy list.

– A więc kto?

– Nic na ten temat nie wiem. Może to bardziej skomplikowane, niż sądzimy. Poza tym...

– Poza tym?

– Nic! Mały Lolo, bądź rozsądny! Idź spać...

Ale Mały Lolo był w stanie głębokiego upojenia. Zaczął lamentować. Ściskał kolegę z krwawiącym podbródkiem, prosząc go o wybaczenie.

Maigret wyszedł z rękami w kieszeniach i podniesionym kołnierzem, ponieważ było chłodno.

W holu wejściowym hotelu de la Plage zobaczył dziewczynę siedzącą w wiklinowym fotelu. Z drugiego fotela podniósł się jakiś mężczyzna, uśmiechnął się niepewnie.

Był to Jorissen, nauczyciel z Quimper. Maigret nie widział go piętnaście lat i tamten wahał się, czy mówić do niego po imieniu.

– Przepraszam... przepraszam... Ja... Właśnie przyjechaliśmy, panna Léonnec i ja... Szukałem w hotelach... Powiedziano mi, że pan... że wrócisz... To narzeczona Pierre'a Le Clinche'a... Bardzo chciała...

Dziewczyna była wysoka, bladawa i trochę nieśmiała. Ale kiedy Maigret ścisnął jej dłoń, zrozumiał, że ta pozornie mała, niezdarnie kokieteryjna prowincjuszka, ma silną wolę.

Milczała. Była pod wrażeniem, podobnie jak Jorissen, który został zwykłym nauczycielem, a teraz spotkał się z dawnym kolegą piastującym jedno z najwyższych stanowisk w Policji Kryminalnej.

– Przed chwilą pokazano mi panią Maigret, w salonie. Nie miałem śmiałości...

Maigret patrzył na dziewczynę. Nie była ani ładna, ani brzydka, ale jej naturalność była dość ujmująca.

– Pan wie, że on jest niewinny, prawda? – dokończyła, nie patrząc na nikogo.

Portier czekał na moment, kiedy będzie mógł wrócić do łóżka. Już rozpiął marynarkę.

– Zobaczymy jutro... Macie pokój?

– Pokój sąsiadujący z pań... z twoim! – wyjąkał zakłopotany nauczyciel z Quimper. – A panna Léonnec piętro wyżej. Muszę jutro wracać z powodu egzaminów. Czy wierzysz?...

– Jutro! Zobaczymy! – powtórzył Maigret.

A kiedy się kładł, żona wymamrotała przez sen:

– Nie zapomnij zgasić światła!

Rozdział II

Żółte buty

Szli ramię w ramię, nie patrząc na siebie, najpierw wyludnioną o tej porze plażą, później nabrzeżem.

Momenty ciszy następowały teraz rzadziej; Marie Léonnec mówiła niemal naturalnym głosem.

– Zobaczy pan, że od razu wyda się panu sympatyczny! Nie może być inaczej! Wtedy pan zrozumie, że...

Maigret posyłał jej zaciekawione, pełne podziwu spojrzenia. Wczesnym rankiem Jorissen pojechał do Quimper, zostawiając dziewczynę samą w Fécamp.

– Nie nalegam, żeby ze mną jechała! Ma zbyt silny charakter! – powiedział.

Poprzedniego wieczoru była tak nijaka, jak może być tylko dziewczyna wychowana w ciszy małego miasteczka. Nie minęła jednak godzina, a wraz z Maigretem opuściła hotel de la Plage.

Komisarz miał minę pożeracza małych dziewczynek.

Mimo to nie zrobił na niej wrażenia, nie wierzyła w to i uśmiechała się z ufnością.

– Jego jedyną wadą – ciągnęła – jest ogromna draźliwość. Ale dlaczego miałoby być inaczej? Ojciec był tylko rybakiem, a matka długi czas naprawiała sieci, żeby móc go wychować. Teraz on ją utrzymuje. Jest wykształcony i ma przed sobą piękną przyszłość.

– Czy pani rodzice są bogaci? – zapytał bez ogródek.

– Mają największą czesalnię i wytwórnię kabli metalowych w Quimper. Dlatego Pierre nie chciał nawet rozmawiać z moim ojcem... Przez cały rok spotykaliśmy się po kryjomu...

– Skończyliście oboje osiemnaście lat?

– Niedawno! To ja powiedziałam o nas w domu. A Pierre przysiągł, że mnie poślubi, kiedy będzie zarabiał co najmniej dwa tysiące franków miesięcznie. Widzi pan, że...

– Czy pisał do pani z aresztu?

– Tylko jeden list. Bardzo krótki. On, który codziennie wysyłał mi kilkustronicowe listy! Napisał, że będzie lepiej dla mnie i moich rodziców, jeśli ogłoszę, że wszystko między nami skończone.

Podeszli do „Oceanu". Trwał rozładunek. Podczas przypływu czarny kadłub trałowca dominował na nabrzeżu. Na przednim mostku myło się trzech mężczyzn rozebranych do pasa, wśród nich Maigret rozpoznał Małego Lola.

Dostrzegł także gest: jeden z marynarzy trącił drugiego ramieniem, wskazując Maigreta i dziewczynę. Zasępił się.

– To przez delikatność, prawda? – ciągnęła dziewczyna. – Wie, do jakich rozmiarów może urosnąć skandal w takim miasteczku jak Quimper. Chciał mi zwrócić wolność.

Ranek był jasny. Dziewczyna wyglądała w szarym kostiumie jak uczennica lub nauczycielka.

– Rodzice też musieli mieć do niego zaufanie, skoro pozwolili mi jechać! A jednak ojciec wolałby, żebym wyszła za handlowca...

Maigret dość długo kazał jej czekać w poczekalni komisariatu policji. Sporządził notatki.

Pół godziny później oboje weszli do więzienia.

Maigret stał w rogu celi z rękoma założonymi do tyłu, z nabitą fajką w zębach, ponury i przygarbiony. Uprzedził władze, że nie zajmuje się oficjalnie sprawą i śledzi ją z czystej ciekawości.

Na podstawie licznych opisów telegrafisty stworzył sobie portret idealnie pasujący do chłopaka, którego miał przed oczyma.

Wysoki, szczupły młodzieniec w przyzwoitym, choć znoszonym garniturze, poważna i jednocześnie nieśmiała twarz pierwszoklasisty. Piegi pod oczami i włosy obcięte na jeża.

Podskoczył na odgłos otwieranych drzwi. Przez dłuższą chwilę błądził myślami daleko od dziewczyny, która do niego podeszła. Musiała mu się dosłownie rzucić w ramiona, zostać tam siłą, podczas gdy on spoglądał wokół zagubionym wzrokiem.

– Marie! Kto to?... Jak?...

Był w najwyższym stopniu zakłopotany. Nie należał do ludzi ulegających emocjom. Tylko szkła okularów miał zaparowane. Drżały mu wargi.

– Nie trzeba było przychodzić...

Wpatrywał się w Maigreta, którego nie znał, później w półotwarte drzwi.

Był bez kołnierzyka i sznurówek, miał za to wielodniowy, rudawy zarost. Krępowało go to, mimo tragedii. Dotykał, w zakłopotaniu, odsłoniętej szyi z wystającym jabłkiem Adama.

– Czy moja matka?...

– Nie przyjechała! Ale też nie wierzy, że jesteś winny...

Dziewczyna również nie zdołała dać ujścia swoim emocjom. Wszystko to wyglądało jak nieudana scena. Może z powodu surowości otoczenia?

Patrzyli na siebie i nie wiedzieli, co powiedzieć, szukali słów. Wtedy Marie Léonnec wskazała Maigreta.

– To przyjaciel Jorissena. Jest komisarzem Policji Kryminalnej i zgodził się nam pomóc.

Le Clinche zawahał się z podaniem ręki, nie miał śmiałości tego uczynić.

– Dziękuję... Ja...

Nic nie wypaliło i dziewczyna, zdając sobie z tego sprawę, była bliska płaczu. Czyż nie liczyła na patetyczne spotkanie, które przekonałoby Maigreta?

Patrzyła na narzeczonego z niechęcią, nawet z odrobiną zniecierpliwienia.

– Będziesz musiał powiedzieć mu wszystko, co może być potrzebne do twojej obrony...

Pierre Le Clinche westchnął, był zakłopotany i zmartwiony.

– Mam do pana tylko kilka pytań – wtrącił się komisarz. – Cała załoga twierdzi zgodnie, że podczas rejsu pańskie relacje z kapitanem były bardziej niż chłodne. A jednak kiedy wypływaliście, wasze układy były dobre. Co spowodowało zmianę?

Telegrafista otworzył usta, zamilkł, utkwił smętny wzrok w podłodze.

– Sprawy służbowe? Przez dwa pierwsze dni jadł pan z drugim oficerem i głównym mechanikiem. Później wolał pan jeść z załogą...

– Tak... Wiem...

– Dlaczego?

Marie Léonnec zniecierpliwiła się:

– Ależ Pierre, mów! Tu chodzi o ciebie! Musisz powiedzieć prawdę!

– Nie wiem...

Był spokojny, apatyczny, jakby zrezygnowany.

– Pokłócił się pan z kapitanem Fallutem?

– Nie...

– A jednak prawie trzy miesiące spędziliście na jednym statku i nie odezwał się pan do niego słowem. Wszyscy to zauważyli... Niektórzy szeptali, że Fallut momentami sprawiał wrażenie szaleńca...

– Nie wiem...

Marie Léonnec wstrzymywała nerwowy szloch.

– Kiedy „Ocean" wrócił do portu, zszedł pan na ląd razem z załogą... W pokoju hotelowym spalił pan jakieś papiery...

– Tak! Nic ważnego...

– Ma pan zwyczaj notować w dzienniku wszystko, co pan widzi...Czy nie spalił pan czasem dziennika pokładowego?

Stał z opuszczoną głową jak uczeń, który nie umie lekcji i uparcie wpatruje się w podłogę.

– Tak...

– Dlaczego?

– Już nie pamiętam!

– I nie wie pan także, dlaczego wrócił pan na pokład? Nie od razu! Widziano, jak czaił się pan za wagonem stojącym pięćdziesiąt metrów od statku...

Dziewczyna popatrzyła na komisarza, później na narzeczonego, później jeszcze raz na komisarza. Zaczęła tracić pewność.

– Tak...

– Kapitan minął mostek kapitański i zszedł na ląd. W tym momencie został zaatakowany.

Milczenie.

– Na litość boską, niechże pan odpowie!

– Tak, odpowiedz, Pierre! To dla twojego dobra... Nie rozumiem... Ja...

Jej powieki nabrzmiały od łez.

– Tak...

– Co, tak?

– Byłem tam!

– A więc pan widział?

– Niedokładnie... Tam były stosy beczek, wagony... Widziałem bijatykę dwóch mężczyzn, później jeden z nich uciekł, a ciało drugiego wpadło do wody...

– Jak wyglądał uciekinier?

– Nie wiem...

– Czy był ubrany jak marynarz?

– Nie!

– No to wie pan, jak był ubrany?

– Kiedy przechodził obok latarni gazowej, zauważyłem tylko żółte buty...

– Co pan zrobił potem?

– Wszedłem na pokład...

– Dlaczego? I dlaczego nie wezwał pan pomocy? Pan wiedział, że kapitan już nie żyje?

Zapadła nieznośna cisza. Marie Léonnec ze strachu złożyła ręce:

– Ależ Pierre, mów! Mów, błagam cię!

Kroki w korytarzu. Strażnik przyszedł poinformować, że na Le Clinche'a czeka sędzia śledczy.

Narzeczona chciała go pocałować. Zawahał się. W końcu wziął ją w ramiona, powoli, z namysłem.

Pocałował nie jej usta, ale jasne kręcone włosy na skroniach.

– Pierre!...

– Nie musiałaś przychodzić! – powiedział, marszcząc czoło, i poszedł zmęczonym krokiem za strażnikiem.

Maigret i Marie Léonnec doszli do wyjścia bez słowa. Na ulicy dziewczyna westchnęła ciężko:

– Nie rozumiem, ja...

Ale podnosząc głowę, dodała:

– Jednak jest niewinny, jestem pewna! Nie rozumiemy, ponieważ nigdy nie byliśmy w podobnej sytuacji! Od trzech dni jest w więzieniu, wszyscy go oskarżają... A on jest nieśmiały!

Maigreta wzruszyło, że dziewczyna, choć całkowicie załamana, tak bardzo stara się dodać swoim słowom żaru.

– Mimo to coś pan zrobi, prawda?

– Pod warunkiem, że wróci pani do domu, do Quimper...

– Nie! Tylko nie to! Na Boga! Proszę mi pozwolić...

– No cóż, chodźmy na plażę. Rozłoży się pani obok mojej żony i spróbuje się czymś zająć. Żona z pewnością będzie miała coś do haftowania dla pani...

– Co pan będzie robił? Sądzi pan, że ta wskazówka o żółtych butach...

Ludzie oglądali się za nimi, ponieważ Marie Léonnec była tak ożywiona, że sprawiali wrażenie, jakby się kłócili.

– Powtarzam, że zrobię wszystko, co w mojej mocy... Proszę! Ta ulica prowadzi prosto do hotelu de la Plage... Proszę powiedzieć mojej żonie, że być może przyjdę na obiad dość późno.

Okręcił się na pięcie i poszedł na nadbrzeże. Jego twarz nie była już tak surowa. Prawie się uśmiechał.

Bał się hałaśliwej sceny w celi, gwałtownych protestów, łez, pocałunków. Wszystko rozegrało się zupełnie inaczej, sytuacja była prosta, a jednocześnie bardziej wzniosła i znacząca.

Chłopak przypadł mu do gustu, ponieważ był chłodny i skoncentrowany.

Przed sklepem spotkał Małego Lola z parą kauczukowych butów w ręce.

– Dokąd idziesz?

– Sprzedać buty! Nie chce pan odkupić? W Kanadzie robią najlepsze! Założę się, że we Francji pan takich nie znajdzie. Dwieście franków...

Mały Lolo był jednak lekko zaniepokojony i tylko czekał, żeby komisarz pozwolił mu iść dalej.

– Czy przyszło ci do głowy, że kapitan Fallut był stuknięty?

– Wie pan, z kotłowni niewiele widać...

– Ale ludzie gadają! A więc?...

– Jasne, że były dziwne historie!

– Jakie?

– Trudno to wytłumaczyć... Zwłaszcza jak już się jest na lądzie...

Nadal trzymał w ręku buty, a sprzedawca artykułów dla marynarzy, który go dostrzegł, czekał na niego na progu.

– Nie jestem już panu potrzebny?

– Kiedy to się dokładnie zaczęło?

– Od razu! Ze statkiem jest albo dobrze, albo jest chory... no i „Ocean" był chory...

– Błędne decyzje?

– Wszystko! Co mam panu powiedzieć? Rzeczy, które nie mają sensu, a mimo to istnieją. Dowód? Mieliśmy wrażenie, że nie wrócimy...A więc to prawda, że nie będą mi już zawracać głowy z powodu tego portfela?

– Zobaczymy...

Port był prawie pusty. Latem wszystkie statki wypływają do Nowej Fundlandii, oprócz kutrów, które łowią przy brzegu.

W basenie widać było tylko ciemną sylwetkę „Oceanu", który przesycał powietrze ostrym zapachem dorszy.

W pobliżu wagonów komisarz zobaczył mężczyznę w skórzanych getrach i w kaszkiecie z jedwabną tasiemką.

– Armator? – zapytał Maigret przechodzącego celnika.

– Tak. Dyrektor spółki Francuski Dorsz...

Komisarz się przedstawił. Tamten popatrzył na niego nieufnie, nie przerywając nadzorowania wyładunku.

– Co pan sądzi o śmierci kapitana?

– Co sądzę?... Oto osiemset ton zepsutych dorszy! Jak tak dalej pójdzie, to statek nie popłynie w drugi rejs. I to bynajmniej nie policja będzie musiała sobie z tym wszystkim radzić i pokrywać straty!

– Pan miał pełne zaufanie do Falluta, prawda?

– Tak. I co z tego?

– Sądzi pan, że telegrafista...

– Telegrafista czy nie, a rok stracony! Że nie wspomnę o sieciach, które przywożą! O sieciach, które kosztowały dwa miliony, słyszy pan? Poszarpane, jakby się bawili w łowienie skał... Do tego jeszcze załoga, która plecie o złym oku! Hej, tam! Co robicie?...Do diaska, czy mówiłem, żeby skończyć najpierw załadunek tego wagonu?

I pobiegł wzdłuż statku, złorzecząc na cały świat.

Maigret jeszcze chwilę obserwował rozładunek. Następnie oddalił się w stronę pomostu, mijając grupki rybaków w bluzach z różowego płótna.

Po chwili usłyszał:

– Pst! Pst! Hej, panie komisarzu...

To Léon, właściciel kafejki „Rendez-vous des Terre-Neuvas", usiłował go dogonić, wyciągając najszybciej jak mógł swoje krótkie nogi.

– Niech pan przyjdzie coś u mnie zamówić...

Miał tajemniczą, wielce obiecującą minę. Po drodze wyjaśnił:

– Uspokaja się. Ci, którzy nie wrócili do siebie, do Bretanii lub na wieś, wydali już prawie wszystkie pieniądze. Tego ranka było u mnie tylko kilku poławiaczy makreli.

Przecięli nabrzeże. Weszli do kafejki, w której była jedynie kelnerka zajęta wycieraniem stołów.

– Zaraz! Co pan zamawia? Może mały aperitif?... Już prawie ta godzina... Proszę zauważyć, że jak mówiłem wczoraj, nie namawiam ich do konsumpcji. Wręcz przeciwnie! Tym bardziej, że kiedy wypiją, straty są większe niż zyski... Idź zobaczyć do kuchni, czy mnie tam nie ma, Julie...

Puścił przeciągłe oko do komisarza.

– Na zdrowie! Zauważyłem pana z daleka, a ponieważ chciałem panu coś powiedzieć...

Poszedł sprawdzić, czy dziewczyna nie podsłuchuje za drzwiami. Później z jeszcze bardziej zagadkową, a zarazem radosną miną wyciągnął coś z kieszeni. Był to kartonik formatu fotografii.

– Proszę! Co pan powie na to?

W istocie było to zdjęcie, fotografia kobiety. Tylko że jej głowa była całkowicie nieczytelna pod czerwonymi kreskami. Ktoś wściekle chciał unicestwić tę głowę. Pióro podrapało papier. Linie biegły we wszystkich kierunkach tak gęsto, że na milimetrze kwadratowym nie było ani skrawka widocznego miejsca.

Tułów poniżej natomiast pozostał nietknięty. Pełne piersi. Sukienka z jasnego jedwabiu, bardzo obcisła i mocno wydekoltowana.

– Gdzie pan to znalazł?

Ponowne mrugnięcie.

– Mogę powiedzieć, w zaufaniu... Waliza Le Clinche'a się nie domyka... Dlatego miał zwyczaj wsuwać listy narzeczonej pod dywan pod stolikiem...

– A pan je czytał?

– To nieważne... Przez przypadek... Podczas przeszukania nikt nie pomyślał, żeby zajrzeć pod dywan. Wczoraj wieczorem przyszło mi to do głowy i oto, co znalazłem... Głowy już nie widać... Ale wiem, że to nie jego narzeczona, która nie jest tak zbudowana! Portret tamtej też widziałem! Jasne więc, że była inna kobieta...

Maigret uważnie wpatrywał się w portret. Apetyczna linia ramion. Kobieta musiała być młodsza od Marie Léonnec. Jej ciało miało w sobie coś absolutnie zmysłowego.

Nawet odrobinę wulgarnego! Sukienka wyglądała na kupioną w sklepie. Tania kokieteria.

– Czy w domu jest czerwony atrament?

– Nie! Tylko zielony...

– Czy Le Clinche nie posługiwał się nigdy czerwonym atramentem?

– Nigdy! Miał własny atrament, ponieważ pisał piórem. Taki specjalny, ciemnoniebieski.

Maigret wstał i podszedł do drzwi.

– Pan pozwoli?

Po chwili był na pokładzie „Oceanu" i przeszukiwał kajutę telegrafisty, później brudną i zabałaganioną kabinę kapitana.

Na trałowcu nie było czerwonego atramentu. Rybacy go nie widzieli.

Opuszczając statek, Maigret został obrzucony nieprzychylnym spojrzeniem armatora, który nadal wrzeszczał na swoich ludzi.

– Czy ma pan w biurze czerwony atrament?

– Czerwony atrament? A do czego? Tu nie szkółka...

Ale nagle, jakby sobie coś przypomniał, powiedział:

– Tylko Fallut pisał czerwonym atramentem, kiedy był u siebie, na ulicy d'Etretat. A co to znowu za historia?... Wy tam, uwaga na wagon! Tylko wypadku mi tu brakuje... A więc o co panu chodziło z tym czerwonym atramentem?

– O nic, dziękuję panu...

Mały Lolo wracał bez butów, ale za to po kilku głębszych, w łobuzerskim kaszkiecie na głowie i w starych buciorach.

Rozdział III

Portret bez głowy

„Jednak nie można by o mnie powiedzieć, że mam oszczędności, tyle co pensja kapitana...".

Maigret rozstał się z panią Bernard na progu jej domku przy ulicy d'Etretat. Ta pięćdziesięcioletnia, bardzo zadbana kobieta przez pół godziny rozprawiała o swoim pierwszym mężu, wdowieństwie, o kapitanie, który został jej lokatorem, o plotkach na temat łączących ich relacji i wreszcie o nieznajomej, zapewne „kobiecie lekkich obyczajów".

Komisarz obejrzał cały dom – dobrze utrzymany, ale zagracony przedmiotami w złym guście. Sypialnia kapitana Falluta wyglądała nadal tak, jakby ją uporządkowano na jego powrót.

Niewiele tu było przedmiotów osobistych: trochę ubrań w kufrze, jakieś książki, głównie przygodowe, i fotografie statków.

Całość sprawiała wrażenie spokojnej i banalnej egzystencji.

– To było postanowione, choć tego nie uzgadnialiśmy, ale wszyscy wiedzieli, że w końcu się pobierzemy! Wnosiłam dom, meble, pościel... Nic byśmy nie zmieniali i żylibyśmy spokojnie, zwłaszcza za trzy, cztery lata, kiedy miałby emeryturę...

Przez okna widać było sklep spożywczy naprzeciwko, stromą ulicę i chodnik, na którym bawiły się dzieciaki.

– Zimą spotkał tę kobietę i wszystko przewróciło się do góry nogami... W jego wieku! Czy można tak oszaleć na czyimś punkcie? Robił z tego tajemnicę! Musiał się z nią spotykać w Hawrze albo gdzie indziej, bo nigdy ich razem nie widziałam. Czułam, że coś się święci... Kupował sobie cieńszą bieliznę. A raz nawet jedwabne skarpetki! Ponieważ między nami nic nie było, nie obchodziło mnie to i nie chciałam, żeby myślał, że bronię swoich interesów...

Rozmowa z panią Bernard rzuciła światło na ważną część życia zmarłego. Mężczyzna w średnim wieku, wracał z połowu do portu i prowadził zimą życie przykładnego mieszczucha u boku pani Bernard, która troszczyła się o niego w nadziei na ożenek!

Jadał z nią w jadalni, pod portretem pierwszego męża z jasnymi wąsami, po czym szedł do swego pokoju czytać książkę przygodową.

I nagle coś zakłóciło ten spokój. Pojawiła się inna kobieta. Kapitan Fallut często jeździł do Hawru, dbał o wygląd, staranniej się golił, kupował nawet jedwabne skarpetki i ukrywał się przed swoją gospodynią!

Nie miał przecież żony ani żadnych zobowiązań. Był wolny, a mimo to ani razu nie pokazał się w Fécamp z nieznajomą.

Czy była to wielka namiętność, szalona przygoda, która go dopadła w jesieni życia? Czy raczej jakiś wstydliwy związek?

Maigret poszedł na plażę. Zobaczył żonę, siedzącą na leżaku w czerwone pasy, a obok haftującą Marie Léonnec.

Na białych od słońca kamieniach kilku plażowiczów. Leniwe morze. A dalej, po drugiej stronie mola, zacumowany przy nabrzeżu „Ocean", stos dorszy, które nadal wyładowywano, i posępni, zamknięci w sobie marynarze.

Pocałował w czoło panią Maigret. Pozdrowił skinieniem głowy dziewczynę i odpowiedział na jej pytające spojrzenie:

– Nic nowego!

Żona powiedziała z niepokojem w głosie:

– Panna Léonnec opowiedziała mi całą historię. Sądzisz, że ten chłopak byłby zdolny do popełnienia podobnego czynu?

Powoli poszli w stronę hotelu. Maigret niósł oba leżaki. Zamierzali usiąść przy stole, kiedy po komisarza przyszedł umundurowany policjant.

– Powiedziano mi, żebym to panu pokazał. Przyszło przed godziną...

Podał komisarzowi otwartą żółtą kopertę bez adresu. Wewnątrz była kartka papieru zapisana drobnym, gęstym pismem.

„Nikogo nie winić za moją śmierć i nie szukać wytłumaczenia mojego gestu.

Oto moja ostatnia wola. Wszystko, co posiadam, przekazuję pani Bernard, która zawsze była dla mnie dobra. Proszę, by mój złoty zegarek wysłała mojemu bratankowi, którego zna, i by dopilnowała, żeby mnie pochowano na cmentarzu w Fécamp, obok mojej matki...".

Maigret otworzył oczy ze zdumienia.

– Podpisane Octave Fallut – powiedział półgłosem. – W jaki sposób ten list dotarł na komisariat?

– Nie wiadomo. Został znaleziony w skrzynce. Zdaje się, że to naprawdę jego pismo... Komisarz natychmiast powiadomił Prokuraturę.

– Mimo to został uduszony! Przecież nie mógł się sam udusić! – wrzasnął Maigret.

Przy stoliku obok nich było głośno. Na półmisku leżała rzodkiewka.

– Proszę chwilę poczekać, skopiuję ten list. Musi go pan odnieść?

– Nie otrzymałem specjalnych rozkazów, ale przypuszczam...

– Tak. Musi być dołączony do akt.

Nieco później Maigret, z kopią w ręku, patrzył niecierpliwie na jadalnię, gdzie straci godzinę, czekając na posiłek. Marie Léonnec nie spuszczała z niego oczu, ale nie ośmieliła się zakłócić mu burzliwej medytacji. Tylko pani Maigret westchnęła nad bladymi eskalopkami:

– A jednak lepiej by nam było w Alzacji...

Maigret wstał przed deserem, otarł usta, chcąc jak najszybciej zobaczyć trałowiec, port i marynarzy. Po drodze burczał do siebie:

– Fallut wiedział, że umrze! Ale czy wiedział, że zostanie zabity? Czy chciał uratować mordercę, czy tylko chciał popełnić samobójstwo?... Kto wrzucił żółtą kopertę do skrzynki komisariatu? Nie miała ani znaczka, ani adresu!

Wiadomość musiała się już rozejść, ponieważ kiedy Maigret podszedł do trałowca, dyrektor Francuskiego Dorsza zapytał go z napastliwą ironią:

– A więc wygląda na to, że Fallut sam się udusił?... Kto to znalazł?...

– Zechce mi pan raczej powiedzieć, który z oficerów „Oceanu" pozostał na pokładzie?

– Nie ma żadnego! Drugi pojechał hulać do Paryża. Główny mechanik jest u siebie, w Yport, i wróci, kiedy skończą rozładunek.

Maigret jeszcze raz obejrzał kabinę kapitana. Była wąska. Wewnątrz tylko koja przykryta brudną, pikowaną kapą. W ścianie działowej szafa. Na stole nakrytym ceratą urządzenie z błękitnej emalii do robienia kawy. W kącie buty na drewnianej podeszwie.

Pomieszczenie było ciemne i lepkie, przesiąknięte kwaśnym zapachem, jaki czuć było w całym statku. Na pokładzie suszyły się koszulki w niebieskie paski. Maigret poślizgnął się na tłustym od rybich odpadów mostku kapitańskim.

– Znalazł pan coś?

Komisarz wzruszył ramionami, jeszcze raz popatrzył ponuro na „Ocean" i zapytał celnika, jak dojechać do Yport.

Mieścina leżała w pobliżu klifu, w odległości sześciu kilometrów od Fécamp. Zaledwie kilka rybackich domów. Wokół nieliczne gospodarstwa. Wille, w większości umeblowane i wynajmowane w sezonie letnim, jeden hotel.

Na plaży jeszcze raz stroje kąpielowe, dzieciaki i ich mamuśki, zajęte dzierganiem na drutach lub haftowaniem.

– Szukam domu pana Laberge'a?

– Głównego mechanika na „Oceanie" czy gospodarza?

– Mechanika.

Pokazano mu domek otoczony ogródkiem. Zbliżając się do pomalowanych na zielono drzwi, usłyszał dochodzące z wnętrza odgłosy kłótni. Dwa głosy: kobiecy i męski. Nie mógł jednak odróżnić słów. Zapukał.

Wszystko ucichło. Usłyszał zbliżające się kroki. W otwartych drzwiach stanął wysoki, szczupły mężczyzna, nieufny i gniewny.

– O co chodzi?

Kobieta w domowym stroju pośpiesznie poprawiała potargane włosy.

– Jestem z Policji Kryminalnej i chciałbym zadać panu kilka pytań...

– Proszę wejść!

Mężczyzna brutalnym gestem wepchnął płaczące dziecko do sąsiedniego pokoju, gdzie komisarz dostrzegł zaledwie nogę łóżka.

– Zostaw nas samych! – powiedział Lambert do żony.

Ona także miała zaczerwienione oczy. Kłótnia musiała wybuchnąć podczas posiłku, ponieważ talerze było do połowy pełne.

– Co chciałby pan wiedzieć?

– Od jak dawna nie był pan w Fécamp?

– Dziś rano pojechałem tam na rowerze. Żadna przyjemność słuchać, jak żona całymi dniami się wydziera. Człowiek spędza miesiące na morzu, tęskni... A kiedy wraca...

Był rozgniewany. W jego oddechu czuć było zapach alkoholu.

– Wszystkie są takie same! Zazdrość i spółka! Wyobrażają sobie, że człowiekowi w głowie tylko dziwki. Niech pan posłucha! Leje dzieciaka, żeby wyładować złość...

Dziecko w sąsiednim pokoju krzyczało, a głos kobiecy coraz bardziej się unosił:

– Zamknij się! No, zamkniesz się?...

Słowom musiały towarzyszyć uderzenia w twarz lub kuksańce, ponieważ szlochy nasilały się.

– Piękne życie...

– Czy kapitan Fallut zwierzał się panu z jakiejś troski?

Tamten popatrzył na Maigreta z ukosa, przestawił krzesło.

– Dlaczego pan tak sądzi?

– Pan z nim pływał od dawna, prawda?

– Od pięciu lat.

– A na pokładzie jadaliście wspólnie...

– Z wyjątkiem tego rejsu! Uparł się, żeby jadać samemu, w kabinie. Ale bardzo bym chciał nie rozmawiać już o tym przeklętym rejsie!

– Gdzie pan był, kiedy popełniono morderstwo?

– W kafejce, razem z innymi... Musieli panu mówić...

– Sądzi pan, że telegrafista miał powód, żeby zaatakować kapitana?

Laberge nagle się rozzłościł.

– Do czego pan zmierza, stawiając te pytania? Co pan chce ode mnie usłyszeć? Nie byłem tam za policjanta, słyszy pan? Mam tego dość! Tej całej historii i reszty! Tak bardzo, że zastanawiam się, czy popłynę w kolejny rejs!

– To jasne, że ten ostatni nie był udany!

Znowu spojrzał przenikliwie na Maigreta.

– Co pan chce przez to powiedzieć?

– Że wszystko poszło źle! Chłopak nie żyje! Było więcej wypadków niż zwykle! Połów był słaby, a dorsze dotarły do Fécamp zepsute...

– Czy to moja wina?

– Tego nie powiedziałem! Pytam tylko, czy w wydarzeniach, w których pan uczestniczył, było coś, co może wyjaśnić śmierć kapitana... Był spokojny, prowadził uregulowany tryb życia...

Mechanik zaśmiał się szyderczo, ale nic nie powiedział.

– Czy pan wie o jakimś jego wyskoku?

– Mówię panu, że nic nie wiem, że mam tego powyżej uszu! Czy chce pan, żebym oszalał?... A ty, czego jeszcze chcesz?

Ostatnie słowa skierował do żony, która wróciła do pomieszczenia i podeszła do piecyka, gdzie z rondla unosił się swąd spalenizny.

Mogła mieć trzydzieści pięć lat. Nie była ani ładna, ani brzydka.

– Chwileczkę – powiedziała pokornie. – To jedzenie dla psa, który...

– Pospiesz się! Jeszcze nie skończyłaś?

A do Maigreta:

– Coś panu powiem. Niech pan to wszystko zostawi w spokoju! Fallutowi jest dobrze tam, gdzie jest! Im mniej będziemy o nim mówić, tym lepiej! Nic nie wiem i przez cały dzień zastanawiałbym się, czy nie mógłbym lepiej odpowiedzieć... Przyjechał pan pociągiem? Jeśli nie złapie pan tego, który odjeżdża za dziesięć minut, to następny będzie dopiero po ósmej wieczorem...

Otworzył drzwi. Do wnętrza wniknęło światło słońca.

– O kogo zazdrosna jest pańska żona? – zapytał cicho komisarz, kiedy znaleźli się na progu.

Tamten zacisnął wargi, ale się nie odezwał.

– Zna pan tę osobę?

Maigret wyciągnął portret kobiety, której głowa pokryta była czerwonymi bazgrołami. Ale trzymał w tym miejscu kciuk. Widać było tylko jedwabną bluzkę.

Tamten rzucił pośpieszne spojrzenie, chciał wziąć fotografię.

– Czy pan ją rozpoznaje?

– Jak mam ją rozpoznać?

Jeszcze otwierał rękę, kiedy Maigret ponownie włożył portret do kieszeni.

– Jedzie pan jutro do Fécamp?

– Nie wiem... Potrzebuje mnie pan?

– Nie! Zapytałem na wszelki wypadek. Dziękuję za informacje, które zechciał mi pan przekazać.

– Nie przekazałem panu żadnych informacji!

Maigret nie zrobił nawet dziesięciu kroków, kiedy usłyszał trzask drzwi zamykanych kopnięciem i podniesione głosy z mieszkania, gdzie kłótnia rozgorzała na dobre.

Główny mechanik mówił prawdę: przed ósmą wieczorem nie było pociągu do Fécamp i Maigret, który nie miał nic do roboty, siłą rzeczy trafił na plażę i usadowił się na tarasie hotelu.

Wakacyjny banał: czerwone parasole, białe sukienki, flanelowe spodnie i grupka ciekawskich otaczających łódź rybacką, którą wyciągano na płaskie kamienie za pomocą kabestanu.

Jasne falezy po lewej i po prawej. Przed nim bladozielone, okolone bielą morze i regularny szum przybrzeżnych fal.

– Piwo, proszę!

Słońce grzało. Przy sąsiednim stoliku jakaś rodzina jadła lody. Jakiś młodzieniec robił zdjęcia kodakiem, skądś dobiegały wysokie głosy dziewcząt.

Maigret błądził wzrokiem po pejzażu, dręczyły go myśli o coraz bardziej niesolidnym kapitanie Fallucie.

– Dziękuję!

To słowo wdarło się do jego myśli nie z powodu sensu, ale ponieważ zostało wymówione sucho, z gryzącą ironią przez kobietę, która siedziała za nim.

– A jednak, mówię ci, Adèle...

– Cicho!

– Chyba nie zaczniesz od nowa?

– Będę robić, co mi się podoba!

Zdecydowanie dzień kłótni! Rano Maigret wpadł na rozwścieczonego jegomościa: dyrektora Francuskiego Dorsza. W Yport scena małżeńska u Laberge'ów. A teraz na tarasie nieznana para wymienia kwaśne uwagi.

– Lepiej zrobisz, jak się zastanowisz...

– Cicho!

– Myślisz, że mądrze odpowiadasz?

– Cicho, mówię! Zrozumiałeś? Kelner! Ta lemoniada jest ciepła! Proszę mi podać drugą...

Pospolity akcent, w dodatku kobieta mówiła głośniej, niż to było konieczne.

– Powinnaś się jednak zdecydować – powtórzył mężczyzna.

– Sam tam idź! Już ci mówiłam! I zostaw mnie w spokoju...

– Czy wiesz, że to, co robisz, jest podłe?

– A ty?

– Ja? Ośmielasz się... Do licha, gdybyśmy nie byli tutaj, to nic by mnie chyba nie powstrzymało..

Śmiała się. O wiele za głośno!

– Zamknij się, proszę! Kochanie...

– Dlaczego miałabym się zamknąć?

– Dlatego!

– Doprawdy inteligentna odpowiedź.

– Zamkniesz się?

– Jak mi się spodoba.

– Adèle, uprzedzam cię, że..

– Że co? Zrobisz skandal na oczach wszystkich? Taki będziesz nowoczesny! Już ludzie nas słuchają...

– Lepiej byś zrobiła, gdybyś się zastanowiła i zrozumiała...

Zerwała się, jak ktoś, kto ma dość. Maigret siedział odwrócony do niej plecami, ale widział na płytach tarasu jej powiększający się cień.

Później zobaczył i ją samą, od tyłu, jak szła w stronę morza.

Pod światło widział jej sylwetkę na tle czerwonego nieba. Zauważył, że jest dość dobrze ubrana, że nie ma na sobie stroju plażowego, tylko jedwabne pończochy i pantofle na wysokim obcasie.

Pokonanie kamienistej plaży kosztowało ją przez to wiele wysiłku. W każdej chwili mogła skręcić nogę.

Ale rozgniewana i zacięta, uparła się, żeby iść dalej.

– Kelner, ile płacę?

– Ale nie przyniosłem jeszcze lemoniady, którą pani...

– Nieważne? Ile?

– Dziewięć franków pięćdziesiąt...Nie będzie pan jadł kolacji?

– Nie wiem...

Maigret odwrócił się, żeby spojrzeć na mężczyznę, który był wyraźnie zażenowany, ponieważ zdawał sobie sprawę, że wszyscy wokół słuchali.

Był wysoki, ubrany z wątpliwą elegancją. Miał zmęczone oczy, a jego twarz zdradzała ogromne zdenerwowanie.

Wstał, wahając się, w którą stronę pójść, w końcu niespiesznie ruszył śladem kobiety, która szła teraz brzegiem morza.

– Pewnie małżeństwo na kocią łapę! – rzucił ktoś od stolika, gdzie szydełkowały trzy kobiety.

– Mogliby prać swoje brudy gdzie indziej! Co za przykład dają dzieciom...

Dwie sylwetki ponownie spotkały się nad brzegiem morza. Nie było słychać, o czym rozmawiają. Tylko na podstawie zachowania można było domyślić się sceny.

Mężczyzna błagał i groził. Kobieta okazała się nieprzejednana. W pewnym momencie chwycił ją za nadgarstek i można było sądzić, że skończy się bijatyką.

Ale nie! Odwrócił się od niej. Dużymi krokami poszedł na pobliską ulicę i zapalił nieduży, szary samochód.

– Kelner, jeszcze małe piwo...

Maigret dostrzegł, że kobieta zostawiła na stole torebkę, wykonaną z imitacji skóry krokodyla, wypchaną i zupełnie nową.

Jakiś cień pełzł ku niemu po ziemi. Komisarz podniósł głowę i zobaczył twarz właścicielki torebki, która ponownie zjawiła się na tarasie.

To był szok. Jego nozdrza zadrżały.

Mógł się oczywiście mylić. Było to raczej wrażenie niż pewność.

Mimo to przysiągłby, że ma przed sobą oryginał portretu bez głowy.

Wyciągnął go zresztą dyskretnie z kieszeni. Kobieta znowu usiadła.

– Kelner, moja lemoniada...

– Myślałem... ten pan powiedział...

– Zamówiłam lemoniadę!

Ta sama, nieco pulchna linia szyi, duże i jednocześnie jędrne, rozkosznie sprężyste piersi.

I ten sam styl ubierania się, to samo upodobanie do gładkich, pstrokatych jedwabiów.

Maigret upuścił portret tak, że jego sąsiadka musiała go zobaczyć.

W końcu zobaczyła. Spojrzała na komisarza, jakby szukała w pamięci. Ale jeśli nawet była zakłopotana, nie dała tego po sobie poznać.

Minęło pięć, może dziesięć minut. Dobiegający z oddali warkot motoru stawał się coraz głośniejszy. Szary wóz, który wracał w stronę tarasu, zatrzymywał się i ruszał, jakby kierowca nie mógł się zdecydować, czy odjechać.

– Gaston!

Stała. Dała znak swemu towarzyszowi. Tym razem chwyciła torebkę i już po chwili wsiadała do samochodu.

Trzy kobiety z sąsiedniego stolika patrzyły na nią z dezaprobatą. Młodzieniec z kodakiem odwrócił się.

Szary samochód odjeżdżał z rykiem silnika.

– Kelner! Gdzie można załatwić jakiś samochód?

– Nie sądzę, żeby znalazł pan w Yport... Jest jeden, który wozi czasem ludzi do Fécamp lub do Etretat, ale dziś rano widziałem, jak wyjeżdżał z Anglikami...

Gruby palec komisarza szybko bębnił po stole.

– Proszę mi przynieść mapę drogową!... I niech pan zamówi połączenie z komisariatem policji w Fécamp... Widział pan już tych ludzi?

– Tę kłócącą się parę? W tym tygodniu prawie codziennie... Wczoraj jedli tutaj... Pewnie są z Hawru...

Na plaży pachnącej słodko letnim wieczorem zostały tylko rodziny. Na linii horyzontu lekko unosił się czarny statek, wpływał w słońce i wypływał po drugiej stronie, jakby przecinał papierowe kółko.

Rozdział IV

Pod znakiem gniewu

– Przyznam – powiedział komisarz policji z Fécamp, temperując niebieski ołówek – że nie mam wielu złudzeń. Rzadko wyjaśniamy sprawy między marynarzami. Co mówię! Spróbujcie znaleźć przyczynę choćby zwykłej bijatyki, jakie co dzień wybuchają w każdym porcie. Kiedy zjawiają się moi ludzie, tamci się leją. Jak tylko zobaczą mundury, godzą się, żeby wspólnie zaatakować! Przesłuchajcie ich! Wszyscy kłamią! Zaprzeczają sobie! Tak gmatwają sprawy, że w końcu rezygnujemy...

Wszyscy czterej palili, wypełniając biuro dymem papierosowym. Był wieczór. Komisarzowi z brygady lotnej w Hawrze, który oficjalnie prowadził śledztwo, towarzyszył młody inspektor.

Maigret był tam prywatnie. Przycupnął w kącie na brzegu stołu i jeszcze się nie odezwał.

– A jednak wydaje mi się, że to proste! – zaryzykował inspektor, starając się zasłużyć na pochwałę szefa. – Motywem zbrodni nie była kradzież. W takim razie chodzi o zemstę. Kogo kapitan Fallut traktował najgorzej podczas rejsu?

Ale komisarz z Hawru wzruszył ramionami i inspektor zamilkł, czerwieniąc się.

– Jednak...

– Nie, stary, nie! To coś innego... A przede wszystkim ta kobieta, którą pan odkrył, Maigret... Czy dał pan wszelkie wskazówki żandarmom, żeby mogli ją znaleźć? Nie potrafię na przykład określić jej roli. Statku nie było przez trzy miesiące... Nie było jej nawet, kiedy zawinął do portu, nikt nas o niej nie informował... Telegrafista jest zaręczony... Kapitan Fallut, jak to mówią, nie wygląda na człowieka skłonnego do wybryków... A jednak tuż przed zabójstwem spisał testament...

– Interesująca byłaby odpowiedź na pytanie, kto się zatroszczył o to, by testament trafił tutaj... – westchnął Maigret. – Jest pewien dziennikarz – ten w beżowym płaszczu przeciwdeszczowym – który twierdzi w „L'Eclair de Rouen", że armator zlecił „Oceanowi" zupełnie inne zadanie niż połów dorsza...

– Za każdym razem tak gadają! – mruknął pod nosem komisarz z Fécamp.

Rozmowa się nie kleiła. Zapadła długa cisza, podczas której słychać było skwierczenie fajki Maigreta, który nagle podniósł się z wysiłkiem.

– Gdyby mnie poproszono o scharakteryzowanie tej sprawy – rzekł – odpowiedziałbym, że jej motorem jest gniew. Wszystko, co ma związek z trałowcem, jest przesiąknięte agresywną złością, irytacją i zapalczywością. W „Rendezvous des Terre-Neuvas" załoga pije i skacze sobie do gardeł. Telegrafista, któremu przyprowadziłem narzeczoną, zdradza zniecierpliwienie i przyjmuje dziewczynę dość chłodno... Niemal prosi, żeby nie mieszała się w sprawę, która dotyczy jej osobiście! W Yport główny mechanik wrzeszczy na żonę i przyjmuje mnie jak kłótnik... Wreszcie trafiam na dwie inne osoby, też chyba skażone tym samym uczuciem: Adèle i jej towarzysz robią sobie sceny na plaży i godzą się tylko po to, żeby razem zniknąć...

– Co pan z tego wnioskuje? – zapytał komisarz z Hawru.

– Ja? Ja nie wnioskuję! Zwracam jedynie uwagę, że odnoszę wrażenie, iż poruszamy się w samym środku stada wściekłych psów... Cóż, dobranoc, panowie... Jestem tu prywatnie! A żona czeka na mnie w hotelu. Uprzedzi mnie pan, komisarzu, jeśli znajdą kobietę z Yport i mężczyznę w szarym samochodzie?

– Oczywiście! Dobranoc...

Maigret, zamiast pójść przez miasto, poszedł brzegiem z rękami w kieszeniach i fajką w zębach. Pusty basen wyglądał jak wielki czarny sześcian, gdzie paliły się jedynie lampy „Oceanu", który nadal rozładowywano.

– ...pod znakiem gniewu!... – mruknął do siebie.

Nikt nie zwrócił uwagi, że wszedł na pokład. Szedł po pokładzie, bez celu, kiedy dostrzegł światło w luku rufówki. Pochylił się, w twarz buchnęło mu ciepłe powietrze, którego zapach kojarzył z kantyną i targiem rybnym.

Zszedł po metalowych schodkach i zobaczył trzech mężczyzn, którzy jedli z menażek trzymanych na kolanach. Przyświecała im lampa naftowa zamontowana na bloczku. Pośrodku pomieszczenia stała patelnia pokryta warstwami brudu.

Wzdłuż ścian czteropiętrowe koje, niektóre jeszcze pełne słomy, inne puste. Oprócz tego wiszące buty i nieprzemakalne, opadające na kark kaptury.

Z całej trójki podniósł się tylko Mały Lolo. Pozostali to Bretończyk i bosy Murzyn.

– Smacznego! – burknął Maigret.

Odpowiedzieli mu podobnie.

– Gdzie wasi koledzy?

– U siebie, bo co! – powiedział Mały Lolo. – Trzeba nie mieć dokąd pójść, lub nie mieć piątej klepki, żeby tu siedzieć, jak się nie płynie.

Komisarz musiał przyzwyczaić się do półmroku, a zwłaszcza do zapachu. Wyobraził sobie to pomieszczenie z czterdziestką mężczyzn, którzy nie mogli się poruszyć, nie trącając się wzajemnie.

Czterdziestka mężczyzn rzucających się w butach na koje, chrapiących, żujących tytoń i palących papierosy!

– Kapitan tu czasami zaglądał?

– Nigdy.

Do tego sapanie maszyny, zapach węgla, sadza, gorące metalowe ściany, uderzenia fal.

– Chodź ze mną, Mały Lolo...

Maigret dostrzegł gest, który marynarz chełpliwie pokazał pozostałym za jego plecami.

Ale wyżej, na ciemnym pokładzie, cała brawura znikła.

– O co chodzi?

– O nic... Zaraz... Przypuśćmy, że kapitan umiera w drodze... Czy ktoś umiałby doprowadzić statek do portu?

– Chyba nie... Drugi oficer nie potrafi lokalizować położenia statku... Co prawda, twierdzą, że za pomocą radia telegrafista zawsze może określić pozycję...

– Często widywałeś telegrafistę?

– Nigdy! Niech pan nie myśli, że tu się chodzi tak jak my teraz... Jedne strefy są dla tych, drugie dla tamtych... Całe dnie pozostajemy w swoich rewirach...

– A głównego mechanika?

– Jego tak! Widywałem go, jak to się mówi, codziennie.

– Jaki był?

Mały Lolo zaczął kluczyć.

– A bo ja wiem?... I co pan chce z tego zrozumieć? Chciałbym tu pana zobaczyć, jak wszystko się wali, jak fale przelewają się przez pokład i puszcza uszczelka pary, a kapitan upiera się, żeby ciągnąć tral tam, gdzie nie ma ryb, albo jak któryś z naszych ma gangrenę i takie tam... Kląłby pan jak szewc! W każdym razie dałby pan komuś w gębę! Kiedy jeszcze mówią panu, że kapitan jest stuknięty...

– A był?

– Nie pytałem go o to... Poza tym...

– Poza tym?

– Przede wszystkim, co to da? Zawsze znajdzie się ktoś, kto panu powie... Zdaje się, że tam na górze było trzech takich, co nie rozstawali się z bronią... Trzech, którzy się szpiegowali, bali jeden drugiego... Kapitan rzadko kiedy wychodził ze swojej kabiny, gdzie kazał przynieść mapy, kompas, sekstans i całą resztę...

– I to trwało trzy miesiące?

– Tak! Chce mnie pan jeszcze o coś zapytać?

– Dziękuję. Możesz odejść.

Mały Lolo odszedł, ociągając się, chwilę postał przed lukiem, obserwując komisarza, który spokojnie pykał fajkę.

Z otwartych ładowni przy świetle lamp acetylenowych nadal wyciągano dorsze. Ale policjant chciał zapomnieć o wagonach, dokerach, nabrzeżach, pomostach i latarni morskiej.

Stał na tej blaszanej planecie z półprzymkniętymi oczami, przywołując obraz pełnego morza, falującej powierzchni oranej bez wytchnienia dziobem statku, godzina po godzinie, dzień po dniu, tydzień po tygodniu.

„Jeśli pan myśli, że tu się chodzi, tak jak my teraz...".

Ludzie w maszynowni. Ludzie w kabinie dziobowej. A na górnym pokładzie garstka wybrańców: kapitan, drugi oficer, główny mechanik i radiotelegrafista.

Lampka oświetlająca kompas. Rozłożone mapy.

Trzy miesiące!

Kiedy wrócili, kapitan Fallut spisał testament, czym potwierdził zamiar rozstania się ze światem.

Godzinę po dobiciu do brzegu został uduszony i wrzucony do basenu portowego.

Pani Bernard, jego gospodyni, martwiła się, ponieważ jego śmierć uniemożliwiła połączenie tak dobrze dobranej pary! Główny mechanik robił żonie awantury! Niejaka Adèle opierała się nieznajomemu, po czym uciekła z nim, widząc w rękach Maigreta swoje zdjęcie pomazane czerwonym atramentem!

Telegrafista Le Clinche miał w areszcie koszmarne samopoczucie!

Statek drgnął. Ruch był lekki jak uniesienie klatki piersiowej. Jeden z mężczyzn w rufówce grał na akordeonie.

Obróciwszy głowę, Maigret dostrzegł na nabrzeżu dwie kobiety, pospiesznie pokonał trop.

– Po co tu przyszłyście?

Zaczerwienił się, bo jego głos zabrzmiał ostro, uświadomił sobie, że jego też ogarnęła gorączka, która ożywiała wszystkich aktorów dramatu.

– Chciałyśmy zobaczyć statek – powiedziała pani Maigret z rozbrajającą pokorą.

– To moja wina! – wtrąciła się Marie Léonnec. – To ja nalegałam, żebyśmy...

– Dobrze, już dobrze. Jadłyście kolację?

– Tak, dziękujemy.

Światła paliły się jedynie w „Rendez-vous des Terre-Neuvas". Na molo majaczyło kilka sylwetek: to turyści sumiennie odrabiali swój wieczorny spacer.

– Znalazł pan coś? – zapytała narzeczona Le Clinche'a.

– Jeszcze nie. Lub raczej nic takiego.

– Nie mam śmiałości prosić pana o przysługę...

– Proszę mówić.

– Chciałabym obejrzeć kabinę Pierre'a... Pozwoli pan?

Zaprowadził ją tam, wzruszając ramionami, natomiast pani Maigret nie zgodziła się wejść na statek.

Istna puszka. Przyrządy radiotelegraficzne. Blaszany stół, ława i koja. Na ścianie portret Marie Léonnec w bretońskim stroju. Na podłodze stare buty, na koi spodnie.

Dziewczyna oddychała tą atmosferą z zainteresowaniem pomieszanym z radością.

– Tak!... Niezupełnie tak to sobie wyobrażałam... Buty nigdy nie były pastowane... Proszę zobaczyć, pił zawsze z tej szklanki, ale nigdy jej nie mył...

Dziwna dziewczyna. Z jednej strony nieśmiała, słaba, dobrze wykształcona, a z drugiej energiczna i odważna. Zawahała się.

– A kabina kapitana?

Na twarzy Maigreta pojawił się lekki uśmiech, zrozumiał bowiem, że w głębi duszy spodziewała się dokonać jakiegoś odkrycia. Zaprowadził ją tam. Poszedł nawet na pokład po lampę.

– Jak oni mogą żyć w tym smrodzie? – westchnęła.

Uważnie rozejrzała się wokół. Widział, że z powodu nieśmiałości zapytała z zażenowaniem:

– Dlaczego koja została podniesiona?

Pozwolił, żeby fajka zgasła. Uwaga była słuszna. Cała załoga sypiała na kojach, które były częścią konstrukcji statku. Jedynie kapitan miał metalowe łóżko.

Pod każdą nogą tkwił jednak drewniany klocek.

– Nie uważa pan, że to dziwne? Można by powiedzieć...

– Proszę, niech pani mówi...

Wszelkie ślady złego humoru zniknęły. Maigret widział, że bladość na twarzy dziewczyny ustępuje pod wpływem refleksji i radości.

– Można by powiedzieć... ale będzie się pan ze mnie śmiać!... że podniesiono łóżko, by ktoś mógł się pod nim schować... Bez tych drewnianych klocków rama jest o wiele za nisko... Natomiast tak jak teraz...

I zanim zdążył ją powstrzymać, położyła się na podłodze. Nie zważając na brud, wśliznęła się pod łóżko.

– Jest miejsce! – powiedziała.

– Tak... Proszę wyjść...

– Chwileczkę, dobrze? Proszę mi na moment podać lampę, komisarzu...

Zamilkła.

Nie miał pojęcia, co robi. Niecierpliwił się.

– I co?

– Tak... Proszę zaczekać...

Nagle ukazała się w zabrudzonym szarym kostiumiku i z rozgorączkowanymi oczami.

– Proszę odsunąć łóżko... Sam pan zobaczy...

Jej głos łamał się, ręce drżały. Maigret brutalnie wyrwał łóżko ze ściany i spojrzał na podłogę.

– Nic nie widzę.

Ponieważ nie odpowiadała, odwrócił się i zobaczył, że płacze.

– Co pani zobaczyła? Dlaczego pani płacze?

– Tutaj... Proszę czytać...

Musiał się schylić i przystawić lampę do ściany. Wtedy dostrzegł słowa wydrapane w drewnie czymś ostrym, jakby szpilką lub gwoździem.

„Gaston – Octave – Pierre – Hen...”

Ostatnie słowo pozostało niedokończone. A jednak praca nie była wykonywana w pośpiechu. Przy niektórych literach ktoś musiał strawić ponad godzinę! Były tam zdobniki, kreski, jakie się kreśli dla zabicia czasu.

Element komiczny stanowiły dwa jelenie rogi narysowane nad imieniem „Octave".

Dziewczyna przysiadła na brzegu łóżka wyciągniętego na środek kabiny. Nadal cicho płakała.

– Ciekawe! – mruknął Maigret. – Chciałbym wiedzieć, czy...

Wówczas gwałtownie się poderwała:

– Ależ tak! To przecież to! Tu była kobieta! Ukrywała się... Mimo to chłopcy ją znaleźli... Czy kapitan Fallut nie miał na imię Octave?

Komisarz rzadko kiedy był tak zakłopotany.

– Proszę nie wyciągać pochopnych wniosków! – powiedział, zresztą bez najmniejszego przekonania.

– Ależ to jest zapisane! Tu jest cała historia! Czterej mężczyźni, którzy...

Co mógł powiedzieć, żeby ją uspokoić?

– Niech pani zaufa memu doświadczeniu! W sprawach policyjnych należy się zawsze powstrzymać z ferowaniem wyroków... Nie dalej jak wczoraj powiedziała pani, że Le Clinche nie jest zdolny do popełnienia morderstwa...

– Tak!.. – zaszlochała. – Tak! Wierzę mu!... Prawda?

Ponownie uczepiła się nadziei.

– Ma na imię Pierre!...

– Wiem. I co?... Jeden na dziesięciu marynarzy nosi to imię, a na pokładzie było pięćdziesięciu mężczyzn... Pozostaje jeszcze Gaston... i Henry...

– Co pan o tym sądzi?

– Nic!

– Pokaże pan to sędziemu?... Kiedy pomyślę, że to ja...

– Proszę się uspokoić! Jeszcze niczego nie odkryliśmy, poza podniesionym łóżkiem i tym, że ktoś napisał imiona na ściance...

– Tu była kobieta...

– Dlaczego kobieta?

– Ależ...

– Chodźmy. Na brzegu czeka na nas pani Maigret...

– Prawda...

Posłusznie wytarła łzy, pociągając nosem.

– Nie powinnam była przychodzić... Myślałam... Ale to niemożliwe, żeby Pierre... Muszę się z nim natychmiast zobaczyć! Powiem mu, sama... Zrobi pan, co trzeba, prawda?

Zanim weszła na trap, spojrzała z nienawiścią na czarny statek, który nie był już dla niej taki sam, odkąd wiedziała, że na pokładzie ukrywała się kobieta.

Pani Maigret obserwowała ją z zainteresowaniem.

– No, niech pani nie płacze! Przecież pani wie, że wszystko się jakoś ułoży...

– Nie! Nie! – dziewczyna z desperacją kręciła głową.

Nie mogła mówić. Brakowało jej tchu. Chciała jeszcze popatrzeć na statek. Pani Maigret, która nic z tego nie rozumiała, spoglądała na męża pytająco.

– Odprowadź ją do hotelu... Spróbuj ją uspokoić...

– Czy coś się stało?

– Nic konkretnego... Na pewno wrócę późno...

Patrzył, jak się oddalają. Marie Léonnec odwracała się wielokrotnie, a jej towarzyszka musiała ciągnąć ją jak dziecko.

Maigret chciał wrócić na pokład, ale zachciało mu się pić. W „Rendez-vous des Terre-Neuvas" nadal paliło się światło.

Przy stoliku czterech marynarzy grało w karty. Inny, przy barze, obejmował w talii kelnerkę, która od czasu do czasu wybuchała śmiechem.

Patron obserwował przebieg gry i doradzał.

– O, to pan... – rzucił na powitanie Maigreta.

Nie wydawał się uszczęśliwiony ponowną wizytą komisarza. Wręcz przeciwnie. Widać było, że mu to nie w smak.

– Julie! Obsłuż pana komisarza. Czym mogę pana poczęstować?

– Niczym! Pozwoli pan, że zjem jak normalny klient...

– Nie chciałem pana urazić... Ja...

Czy dzień skończy się pod znakiem gniewu? Jeden z marynarzy burknął coś w gwarze normandzkiej, co Maigret zrozumiał mniej więcej:

– Oho, coś tu śmierdzi!

Komisarz popatrzył mu w oczy. Tamten zaczerwienił się i wydukał:

– Atu trefle!

– Powinieneś zagrać pikami – powiedział Léon, żeby coś powiedzieć.

Rozdział V

Adèle i jej towarzysz

Rozległ się dzwonek telefonu. Léon odebrał i już za chwilę wołał do aparatu Maigreta.

– Halo! – powiedział znudzony głos po drugiej stronie. – Komisarz Maigret? Tu sekretarz komisariatu... Telefonowałem przed chwilą do pańskiego hotelu. Powiedzieli mi, że jest pan pewnie w „Rendez-vous des Terres-Neuvas". Przepraszam, że przeszkadzam, panie komisarzu... Już pół godziny sterczę przy aparacie. Nie mogę się połączyć z szefem! Komisarz z brygady lotnej chyba wyjechał z Fécamp... A tu zjawiła się dwójka podejrzanych osobników, którzy mają chyba coś pilnego do powiedzenia. Facet i babka...

– Przyjechali szarym samochodem?

– Tak. Czy to właśnie ich pan szukał?

Dziesięć minut później Maigret zjawił się w komisariacie, którego pomieszczenia były opustoszałe, z wyjątkiem podzielonej barierką sali przyjęć. Sekretarz pisał, paląc papierosa. Mężczyzna czekał, siedząc na ławce z łokciami wspartymi na kolanach i podbródkiem w dłoniach.

Kobieta natomiast chodziła tam i z powrotem, stukając o podłogę wysokimi obcasami.

Jak tylko komisarz wszedł, podeszła do niego. Jednocześnie mężczyzna wstał z westchnieniem ulgi, cedząc przez zęby:

– Trochę to trwało!

Była to para z Yport, jeszcze bardziej rozgniewana niż podczas sceny małżeńskiej, której świadkiem był Maigret.

– Zechcą państwo pójść ze mną do pokoju obok...

Maigret wprowadził ich do biura komisarza, zasiadł w jego fotelu, nabił fajkę, nie spuszczając przybyszów z oka.

– Mogą państwo usiąść.

– Dziękuję – powiedziała kobieta, która była zdecydowanie bardziej zdenerwowana. – Ja zresztą nie na długo...

Widział ją z przodu, w świetle silnej lampki elektrycznej. Nie potrzebował długich oględzin, żeby ją zaszufladkować. Czyż portret, z którego pozostał tylko tułów, nie był wystarczający?

Ładna dziewczyna, w popularnym rozumieniu tego słowa. Apetyczne ciało, zdrowe zęby, prowokacyjny uśmiech, wiecznie roziskrzone spojrzenie.

Dokładniej mówiąc, ładna chłopczyca, wyzywająca, gotowa wywołać skandal lub wybuchnąć głośnym, pospolitym śmiechem.

Miała bluzkę z różowego jedwabiu ze złotą broszką szerokości monety wartości stu sou.

– Najpierw chcę panu powiedzieć...

– Przepraszam – przerwał Maigret. – Zechce pani usiąść, jak prosiłem. Odpowie pani na moje pytania.

Spochmurniała. Na twarzy pojawiła się złość.

– Co do licha? Zapomina pan, że jestem tu z własnej woli.

Jej towarzysz wydął wargi, znudzony takim zachowaniem. Dobrze się dobrali. Właśnie takich mężczyzn widuje się zwykle z takimi dziewczynami.

Prawdę mówiąc, nie wyglądał podejrzanie. Był ubrany porządnie, choć w złym guście. Miał na palcach duże sygnety i perłę przy krawacie. A jednak całość budziła niepokój. Może dlatego, że wyczuwało się, iż nie należy do żadnej zacnej klasy społecznej.

Tacy mężczyźni wiecznie przesiadują w kawiarniach i piwiarniach, piją musujące wino w towarzystwie dziwek i wynajmują pokoje w podrzędnych hotelach.

– Najpierw pan! Nazwisko, adres, zawód…

Chciał wstać.

– Niech pan siedzi.

– Zaraz wyjaśnię.

– Nic z tego! Nazwisko…

– Gaston Buzier. Obecnie zajmuję się sprzedażą i wynajmem willi. Najczęściej mieszkam w Hawrze, w hotelu de l'Agneau d'argent.

– Jest pan handlarzem nieruchomości?

– Nie, ale…

– Pracuje pan dla jakiejś agencji?

– To znaczy…

– Wystarczy! Krótko mówiąc, pan „zrób to sam". Czym się pan zajmował przedtem?

– Byłem przedstawicielem firmy rowerowej. Sprzedawałem też maszyny do szycia po wsiach.

– Ile razy był pan skazany?

– Nie odpowiadaj, Gaston! – wtrąciła się kobieta. – Teraz to już pan przesadził! To my przyszliśmy, żeby...

– Zamknij się! Dwa wyroki. Jeden w zawieszeniu za czek bez prowizji. I dwa miesiące za to, że nie przekazałem właścicielowi zaliczki, którą otrzymałem za wynajem willi. Sam pan widzi, że to drobnostki...

Wyczuwało się, że miał już do czynienia z policją. Był spokojny, w oczach cienia złośliwości.

– Teraz pani! – rzucił Maigret, zwracając się do kobiety.

– Adèle Noirhomme. Urodzona w Belleville...

– Prostytutka?

– Pięć lat temu zarejestrowali mnie w Strasbourgu, przez taką jedną paniusię, która mnie oskarżyła, że uwiodłam jej męża. Ale od tamtego czasu...

– ...wymykała się pani policyjnym kontrolom! Doskonale! Zechce mi pani powiedzieć, z jakiego tytułu znajdowała się na pokładzie „Oceanu"?

– Muszę najpierw wyjaśnić! – odpowiedział mężczyzna. – Jesteśmy tu, ponieważ nie mamy sobie nic do zarzucenia. W Yport Adèle przyszła mi powiedzieć, że ma pan jej fotografię i że na pewno będzie pan chciał ją aresztować. Najpierw przyszło nam do głowy, żeby uciec i uniknąć kłopotów... Dobrze wiemy, co z tego wyniknie! W Etretat zauważyłem z daleka żandarmów na straży i zrozumiałem, że będą nas ścigać. No to wolałem sam przyjść!

– A pani? Pytałem, co pani robiła na pokładzie trałowca...

– To proste! Byłam tam z kochankiem!

– Z kapitanem Fallutem?

– Tak, z kapitanem. Byłam z nim od listopada... Spotkaliśmy się w Hawrze, w kawiarni... Zakochał się... Przychodził dwa lub trzy razy w tygodniu. Z resztą na początku myślałam, że to maniak, bo nic ode mnie nie chciał. Ale nie! Zabujał się. Duża stawka! Wynajął mi ładny umeblowany pokój i zrozumiałam, że jeśli się do tego umiejętnie zabiorę, to się ze mną ożeni. Może marynarze nie śpią na złocie, ale za to dochód jest legalny, i jeszcze emerytura...

– Nigdy nie była pani z nim w Fécamp?

– Nie. Zabronił mi. On tam jeździł. Był zazdrosny. Ten poczciwina nie miał zapewne wielu przygód, bo jako pięćdziesięciolatek był z kobietami nieśmiały jak sztubak... Kiedy się ze mną związał..

– Przepraszam! Była już pani kochanką Gastona Buziera?

– Oczywiście! Ale Fallutowi powiedziałam, że Gaston to mój brat...

– Jasne! No to oboje żyliście z dochodów kapitana...

– Ja pracowałem! – zaprotestował Buzier.

– Tak, znamy się na tym. W grudniu po południu. Kto wpadł na pomysł, żeby pani popłynęła?

– Fallut! Gryzł się na myśl, że zostanę sama podczas całego rejsu. Z drugiej strony miał cykora, bo regulamin jest surowy, a on był strasznym służbistą. Opierał się do ostatniej chwili... Później przyszedł po mnie. Zaprowadził mnie do swojej kabiny w noc przed odpłynięciem. Mnie to nawet bawiło, zawsze to jakaś odmiana, ale gdybym wiedziała, co to jest, natychmiast bym go zostawiła!

– Buzier nie protestował?

– Wahał się... Rozumie pan?... Nie należało się sprzeciwiać pomysłom starego... Obiecał, że zaraz po rejsie przejdzie na emeryturę i ożeni się ze mną. Zafundował mi piękne życie! Zamknięta cały dzień w kabinie cuchnącej rybami! Na dodatek kiedy ktoś wchodził, musiałam się chować pod łóżko! Zaledwie wypłynęliśmy w morze, a już Fallut pożałował, że mnie zabrał. Nigdy nie widziałam mężczyzny, który się tak bał. Dziesięć razy dziennie przychodził upewnić się, że drzwi są zamknięte. Kiedy mówiłam, kazał mi milczeć ze strachu, że mnie ktoś usłyszy. Był nieprzyjemny, spięty...

Zdarzało się, że patrzył na mnie długo, jakby kusiło go, żeby się mnie pozbyć, wyrzucając za burtę...

Mówiła krzykliwie. Gestykulowała.

– Poza tym był coraz bardziej zazdrosny! Wypytywał o moją przeszłość. Próbował się dowiedzieć... Trzy dni ze mną nie rozmawiał, szpiegował mnie jak wroga... Później, ni stąd ni zowąd, wróciła namiętność. Chwilami się go bałam...

– Kto z załogi widział panią na pokładzie?

– To było czwartej nocy. Chciałam łyknąć świeżego powietrza. Miałam dość zamknięcia. Fallut poszedł się upewnić, czy nikogo nie ma. Wystarczyło, żeby mi pozwolił przejść się po pokładzie. Na chwilę musiał wejść na mostek i wtedy nadszedł radiotelegrafista, rozmawiał ze mną... Był przerażony, rozgorączkowany... Nazajutrz udało mu się wejść do mojej kabiny...

– Czy Fallut go widział?

– Nie sądzę. Nic mi nie powiedział.

– Została pani kochanką Le Clinche'a?

Nie odpowiedziała. Gaston Buzier zaśmiał się szyderczo.

– No, powiedz! – rzucił złośliwie.

– A co, nie jestem wolna? Może ty nie miałeś kobiet podczas mojej nieobecności, co? A ta mała z „Villa des Fleurs"! I ta fotka, którą znalazłam w twojej kieszeni...

Maigret zachowywał powagę proroka.

– Pytam, czy została pani kochanką radiotelegrafisty.

– A ja odpowiadam, do diabła!

Prowokowała go uśmiechem. Wiedziała, że jest pociągająca. Liczyła na swoje pełne wargi, ponętne ciało.

– Widział panią także główny mechanik...

– Co panu powiedział?

– Nic. Podsumowując: kapitan ukrywał panią w swojej kabinie. Potem przychodzili do pani po kryjomu kolejno

Pierre Le Clinche i główny mechanik... Czy Fallut to zauważył?

– Nie!

– Mimo to coś podejrzewał, krążył wokół pani, wychodził tylko wtedy, kiedy to było konieczne...

– Skąd pan to wie?

– Czy nadal mówił, że się z panią ożeni?

– Nie wiem..

Maigret znowu zobaczył trałowiec, palaczy zamkniętych w ładowniach, ludzi stłoczonych na przednim mostku, kajutę radiotelegrafisty, na rufie kabinę kapitana, z uniesionym łóżkiem.

Rejs miał trwać trzy miesiące!

Trzej mężczyźni czatowali w tym czasie wokół kabiny, gdzie była zamknięta ta kobieta.

– Zrobiłam okropne głupstwo! – rzuciła. – Przysięgam, że gdyby to miało się znowu zacząć... Powinno się zawsze wystrzegać nieśmiałych mężczyzn, którzy mówią o ślubie.

– Gdybyś mnie posłuchała... – wtrącił się Gaston Buzier

– A ty się zamknij! Jakbym cię posłuchała, to dobrze wiem, w jakim domu bym teraz była! Nie chcę mówić źle o Fallucie, bo nie żyje... Mimo że był stuknięty... Coś sobie roił. Myślał, że stracił honor, bo złamał regulamin. A to było jeszcze gorsze... Po tygodniu odzywał się tylko po to, żeby mi robić awantury. Albo żeby mnie wypytywać, czy nikt nie wchodził do mojej kabiny! Był zazdrosny głównie o Le Clinche'a. Mówił: „To by ci się podobało, co? Taki młodzik... Przyznaj się. Powiedz, że gdyby tu wszedł podczas mojej nieobecności, nie odtrąciłabyś go!". I drwił aż do bólu...

– Ile razy Le Clinche panią odwiedził? – zapytał powoli Maigret.

– No cóż, tym gorzej... Raz. Czwartego dnia. Nie umiałabym nawet powiedzieć, jak to się stało... Później to już było niemożliwe, bo Fallut za bardzo mnie pilnował.

– A mechanik?

– Ani razu! Próbował... Podglądał mnie przez bulaj. Był bardzo blady. Pan myśli, że to życie?... Byłam jak zwierzę w klatce. Kiedy wypłynęliśmy na morze, zachorowałam, a Fallut nawet się o mnie nie zatroszczył...Tygodniami mnie nie dotykał. Później go wzięło. Całował mnie, jakby gryzł. Ściskał, jakby chciał mnie udusić.

Gaston Buzier palił papierosa, ironicznie wydymając wargi.

– Niech pan zwróci uwagę, komisarzu, że mnie tam nie było, w tym czasie pracowałem...

– Proszę cię – powiedziała niecierpliwie.

– Co się wydarzyło po powrocie? Czy Fallut powiedział pani, że ma zamiar popełnić samobójstwo?

– On?... Nigdy w życiu!... Zanim przybiliśmy do portu, przez dwa tygodnie nie odezwał się do mnie słowem. Myślę, że z nikim nie rozmawiał. Godzinami patrzył przed siebie. Zresztą postanowiłam, że go zostawię... Miałam go dość, rozumie pan? Już wolę zdechnąć z głodu, ale być wolna. Usłyszałam, że przybijamy do brzegu... Wszedł do mojej kabiny i powiedział tylko: „Poczeka pani, aż przyjdę...".

– Przepraszam, nie zwracał się do pani po imieniu?

– Na końcu nie.

– Proszę mówić dalej...

– Nic więcej nie wiem... Gaston opowiedział mi, co było dalej. Był na nabrzeżu...

– Niech pan mówi – Maigret zwrócił się do mężczyzny.

– Jak powiedziała, byłem na nabrzeżu. Widziałem, jak marynarze wchodzą do kawiarni. Czekałem na Adèle. Było ciemno... W pewnym momencie kapitan zszedł na ląd, był sam... W pobliżu stały wagony. Przeszedł kilka kroków i wtedy rzucił się na niego jakiś mężczyzna... Nie wiem dokładnie, co się stało, ale usłyszałem odgłos ciała wpadającego do wody...

– Rozpoznałby pan tego mężczyznę?

– Nie! Było ciemno, a wagony prawie wszystko zasłaniały...

– W którą stronę poszedł?

– Myślę, że poszedł nabrzeżem.

– I nie zauważył pan telegrafisty?

– Nie wiem... Nie znam go...

– A pani jak zeszła ze statku?

– Ktoś otworzył drzwi kabiny, w której siedziałam... To był Le Clinche... Powiedział: „Uciekaj, szybko!".

– To wszystko?

– Chciałam go zapytać. Usłyszałam ludzi biegnących po nabrzeżu i łódź nadpływającą ze światłem... „Uciekaj!", powtórzył. Pchnął mnie na mostek. Wszyscy patrzyli w inną stronę. Nikt nie zwrócił na mnie uwagi. Byłam pewna, że stało się coś złego, ale wolałam uciec. Gaston czekał na mnie trochę dalej...

– I co zrobiliście?

– Gaston był blady jak ściana. Piliśmy rum w bistrach. Nocowaliśmy na stacji... Nazajutrz wszystkie gazety pisały o śmierci Falluta... Wtedy na wszelki wypadek zwialiśmy do Hawru. Nie chcieliśmy być wmieszani w tę historię.

– Mimo to, chciała się tu pokręcić – powiedział dobitnie jej kochanek. – Nie wiem, czy to z powodu tego radiotelegrafisty, czy...

– Skończ już! Wystarczy! To jasne, że sprawa mnie interesowała... Trzy razy byliśmy w Fécamp. Żeby się za bardzo nie rzucać w oczy, nocowaliśmy w Yport.

– Spotkała się pani z głównym mechanikiem?

– Skąd pan wie? Raz, w Yport. Zresztą wystraszyłam się jego spojrzenia. Przez jakiś czas szedł za mną..

– Dlaczego kłóciła się pani przed chwilą ze swoim przyjacielem?

Wzruszyła ramionami.

– Dlatego! Jeszcze pan nie zrozumiał? Jest przekonany, że kocham się w Le Clinche'u, że radiotelegrafista zabił z mojego powodu i... Robił mi sceny... A ja mam tego dość! Widziałam dość nieszczęść na tym statku...

– A mimo to, kiedy pokazałem pani na tarasie jej fotografię...

– Sprytnie! Zrozumiałam, że jest pan z policji. Pomyślałam, że Le Clinche sypie... Miałam stracha i poradziłam Gastonowi, żebyśmy zwiewali. Dopiero w drodze pomyśleliśmy, że nie warto, że w końcu złapią nas w drodze powrotnej. Oprócz tego mieliśmy w kieszeni dokładnie dwieście franków... Co mi pan zrobi? Nie może mnie pan zamknąć!

– Uważa pani, że to radiotelegrafista zabił?

– A skąd mam wiedzieć?

– Czy ma pan żółte buty? – Maigret zapytał Gastona Buziera bez ogródek.

– Ja... tak... dlaczego?

– Tak sobie. Po prostu pytam. Jest pan pewien, że nie rozpozna pan mordercy kapitana?

– W ciemnościach widziałem jedynie sylwetkę.

– No cóż. Pierre Le Clinche, który też tam był, schowany za wagonami, twierdzi, że zabójca miał żółte buty...

Mężczyzna podniósł się z odrętwienia. Miał twardy wzrok i gniewne usta.

– Tak powiedział? Jest pan pewien, że tak powiedział?

Dusił się z wściekłości, zaczął się jąkać. To już nie był ten sam człowiek. Uderzył pięścią w biurko.

– To za wiele! Niech mnie pan do niego zaprowadzi! Koniecznie! Do wszystkich diabłów! Zobaczymy, kto kłamie! Żółte buty! A więc to byłem ja, tak? To on zabrał mi kobietę! On wyprowadził ją ze statku! Ma czelność mówić...

– Spokojnie...

Nie mógł oddychać. Sapał.

– Słyszysz, Adèle? Oto jacy są twoi kochasie!

Łzy wściekłości popłynęły mu z oczu. Szczękał zębami.

– Co za nieszczęście! To ja... Boże, to najgorsze ze wszystkiego! Jeszcze lepsze niż w kinie! I to jeszcze w momencie, kiedy mam dwa wyroki, to jemu uwierzą... Zabiłem kapitana Falluta! Może z zazdrości? I co jeszcze? A nie zabiłem także telegrafisty?

Drżącą ręką przejechał po włosach, mierzwiąc je. Wydawał się szczuplejszy. Miał bardziej podkrążone oczy i matową cerę.

– Na co pan czeka? Dlaczego mnie pan nie aresztuje, co?

– Zamknij się – wrzasnęła jego kochanka.

Ale ona również straciła głowę. Co jednak nie przeszkodziło jej rzucać w jego stronę oskarżycielskich spojrzeń.

Miała wątpliwości? Czy była to tylko komedia?

– Jeśli musi mnie pan aresztować, niech pan to zrobi natychmiast. Ale proszę o konfrontację z tym człowiekiem. Zobaczymy...

Maigret nacisnął przycisk elektryczny. Na twarzy sekretarza komisarza malował się niepokój.

– Zatrzymasz pana i panią do jutra rana w oczekiwaniu na decyzję sędziego.

– Kanalio! – rzuciła mu Adèle, spluwając na podłogę.

– Będą mnie tam zmuszać, żebym powiedziała prawdę... A to, co najpierw powiedziałam, zmyśliłam, co? Nie podpiszę żadnego protokołu! Sam sobie radź! A więc to tak...

I obróciła się do swego kochanka:

– Nie martw się, Gaston! Jesteśmy górą. Zobaczysz, w ostateczności jeszcze wygramy. Jak kobieta figuruje w rejestrze obyczajówki, to już powód, żeby ją wpakować do aresztu, prawda? Czy to przypadkiem nie ja zabiłam kapitana?

Maigret wyszedł, nie słuchając reszty. Na zewnątrz głęboko odetchnął morskim powietrzem i wytrząsnął popiół z fajki. Nie zrobił dziesięciu kroków, kiedy usłyszał z komisariatu, jak Adèle obrzucała policjantów najwulgarniejszymi słowami ze swego repertuaru.

Była druga. Noc była nadzwyczaj spokojna. Nadszedł przypływ i maszty łodzi rybackich kołysały się ponad dachami domów.

Słychać było tylko miarowe uderzenia fal o kamienie.

Wokół „Oceanu" płonęło ostre światła. Trwał wyładunek. W dzień i w noc, ludzie wygięci w łuk z trudnością pchali pełne wagoniki dorszy.

Kafejka „Rendez-vous des Terre-Neuvas" była zamknięta. W hotelu de la Plage portier w spodniach naciągniętych na koszulę nocną otworzył komisarzowi drzwi.

W holu paliła się tylko jedna lampa. To dlatego Maigret nie od razu rozpoznał kobietę siedzącą w fotelu.

Była to Marie Léonnec. Spała z głową opartą na ramieniu.

– Ktoś chyba na pana czeka – podszepnął portier.

Była blada. Można by sądzić, że anemiczna. Miała bezbarwne wargi, a cienie pod oczami zdradzały zmęczenie. Spała z półotwartymi ustami, jakby jej brakowało powietrza.

Maigret delikatnie dotknął jej ramienia. Skoczyła na równe nogi i popatrzyła na niego zmieszana:

– Ojej, zasnęłam...

– Dlaczego się pani nie położyła? Czy żona nie zaprowadziła pani do pokoju?

– Zaprowadziła... Ale cichutko zeszłam. Chciałam się dowiedzieć... Niech mi pan powie...

Była nie tak ładna jak zwykle. We śnie się spociła. A na środku czoła miała czerwony ślad po ugryzieniu komara.

Sukienka z mocnej serży, którą zapewne sama uszyła, była pognieciona.

– Znalazł pan coś nowego? Nie?... Proszę posłuchać... Dużo myślałam... Nie wiem, jak to panu powiedzieć... Zanim się jutro zobaczę z Pierre'em, chciałabym, żeby mu pan powiedział, że wiem wszystko o tej kobiecie, że nie mam mu za złe... Widzi pan, jestem pewna, że jest niewinny... Tylko że jak mu powiem pierwsza, będzie skrępowany... Widział go pan dziś rano... Martwi się... Czy to nie naturalne, że jeśli na pokładzie jest kobieta, to...

Nie! To było ponad jej siły! Rozpłakała się. Nie mogła powstrzymać łez.

– Przede wszystkim to nie może się znaleźć w gazetach, żeby moi rodzice się dowiedzieli... Nie zrozumieją... Oni...

Dostała czkawki.

– Pan musi znaleźć zabójcę! Wydaje mi się, że gdybym mogła popytać ludzi... Przepraszam, już nie wiem, co mówię... Pan wie lepiej ode mnie... Tylko że pan nie zna Pierre'a... Jestem dwa lata starsza od niego... On jest jak dziecko... Zwłaszcza kiedy się go oskarża, może się zamknąć w sobie, jest taki dumny, że nic nie powie... Jest taki przeczulony... Często go poniżano...

Maigret położył jej rękę na ramieniu, powstrzymał głębokie westchnienie.

W głowie rezonował mu jeszcze głos Adèle. Widział ją, wyzywającą, wspaniale zmysłową.

I to dziewczę dobrze wychowane, anemiczne, próbujące powstrzymać szloch i uśmiechnąć się z nadzieją.

– Kiedy pan go pozna...

Ta dziewczyna nigdy się nie dowie, co to ciemna kabina, wokół której dniami i tygodniami krąży trzech mężczyzn na pełnym morzu. Podczas gdy ci z maszynowni i ci z przedniego mostka, niejasno domyślając się dramatu, obserwują morze, rozmawiają o manewrach, niepokoją się, mówią o złym oku i szaleństwie.

– Jutro zobaczę się z Le Clinche'em.

– A ja?

– Być może... Prawdopodobnie... Musi pani odpocząć.

Po chwili słyszał, jak pani Maigret wymamrotała sennie:

– Ona jest bardzo miła. Czy wiesz, że już przygotowała całą wyprawkę? Całą ręcznie haftowaną... Masz coś nowego? Pachniesz perfumami...

Zapewne wyczuła ostre perfumy Adèle, która się na nim uwiesiła. Perfumy pospolite jak tanie wino z bistra, których zapach mieszał się podczas miesięcy na pokładzie trałowca ze zjełczałym zapachem dorszy, kiedy mężczyźni jak zawzięte i wściekłe psy krążyli wokół kabiny.

– Śpij dobrze – powiedział, naciągając koc aż pod brodę.

Na czole na wpół uśpionej żony złożył mocny, czuły pocałunek.

Rozdział VI

Trójka niewiniątek

Prosta scenografia: jak w przypadku większości konfrontacji. Tę urządzono w małym biurze w budynku więzienia. Komisarz Girard z Hawru, który kierował śledztwem, zajął jedyny w tym pomieszczeniu fotel. Maigret opierał się łokciami o kominek z czarnego granitu. Na ścianach grafiki, oficjalne obwieszczenia i litografia przedstawiająca prezydenta Republiki Francuskiej.

Gaston Buzier stał w pełnym świetle w swoich żółtych butach.

– Wprowadzić radiotelegrafistę!

Otworzyły się drzwi. Wszedł nieuprzedzony o niczym Pierre Le Clinche. Zmarszczył czoło, jak człowiek, który cierpi i spodziewa się kolejnych przykrości. Zobaczył Buziera, ale nie poświęcił mu uwagi, tylko rozglądał się wokół, zastanawiając się, do kogo powinien się zwrócić.

Kochanek Adèle natomiast mierzył go lekceważącym wzrokiem.

Le Clinche miał zmęczoną, szarą twarz. Nie starał się grać twardziela ani ukrywać, że jest załamany. Miał w sobie smutek chorego zwierzęcia.

– Czy rozpoznaje pan tego mężczyznę?

Popatrzył uważnie na Buziera, wydawało się, że szuka w pamięci.

– Nie. Kto to?

– Proszę mu się dobrze przyjrzeć, od stóp do głów...

Le Clinche posłuchał, a kiedy jego wzrok doszedł do butów, podniósł głowę.

– I co?

– Tak...

– Co znaczy „tak"?

– Rozumiem, o co panu chodzi... Żółte buty...

– Właśnie! – uniósł się nagle Gaston Buzier, który nie powiedział jak dotąd ani słowa, ale miał gniewny wyraz twarzy. – Powtórz, że to ja zaciukałem twojego kapitana! No!...

Oczy obecnych skierowały się na radiotelegrafistę, który zwiesił głowę, uczynił ręką gest zniechęcenia.

– Niech pan mówi...

– Może to nie były te buty...

– Ha, ha! – triumfował tamten. – Pękasz!

– Nie rozpoznaje pan zabójcy Falluta?

– Nie wiem... Nie...

– Czy pan wie, że stoi przed kochankiem znanej panu Adèle... Przyznał, że w momencie popełnienia zbrodni był w pobliżu trałowca... Miał wtedy żółte buty...

Buzier patrzył na niego wyzywająco, trzęsąc się z niecierpliwości i z wściekłości.

– Tak, niech mówi!... Ale niech stara się mówić prawdę, bo jak nie, to przysięgam, że...

– Cisza! No to jak, Le Clinche?

Tamten przeciągnął ręką po czole, dosłownie krzywiąc się z bólu.

– Nie wiem! Niech idzie do diabła...

– Widział pan mężczyznę w żółtych butach, który rzucił się na Falluta...

– Zapomniałem!

– Tak pan twierdził podczas pierwszego przesłuchania... Nie minęło od tamtej pory wiele czasu... Czy podtrzymuje pan zeznanie?

– No cóż, nie! Widziałem mężczyznę w żółtych butach... To wszystko. Nie wiem, czy to on jest zabójcą...

W miarę jak postępowało przesłuchanie, Gaston Buzier, również nieco rozczochrany z powodu nocy spędzonej na posterunku, nabierał pewności siebie. Teraz kołysał się z nogi na nogę z ręką w kieszeni spodni.

– Zobaczycie, że pęknie! Nie odważy się powtórzyć kłamstw, które wam wciskał...

– Le Clinche, proszę odpowiedzieć. Jak dotąd jesteśmy pewni, że podczas zabójstwa kapitana w pobliżu trałowca były dwie osoby. Z jednej strony pan, z drugiej Buzier... Najpierw go pan oskarżył, a teraz wygląda na to, że się pan wycofuje. Czyżby była jeszcze jedna osoba? W takim wypadku nie mógł jej pan nie widzieć. Kto to jest?

Cisza. Pierre Le Clinche wbił wzrok w podłogę.

Maigret, nadal oparty o kominek, nie brał udziału w przesłuchaniu. Oddawszy głos koledze, zadowalał się obserwowaniem obu mężczyzn.

– Powtarzam pytanie: czy na nabrzeżu była jeszcze trzecia osoba?

Oskarżony złamał się i westchnął:

– Nie wiem...

– Czy to oznacza „tak"?

Wzruszenie ramion mające oznaczać: „Jak pan chce...".

– Kto?

– Było ciemno...

– W takim razie proszę powiedzieć, dlaczego twierdził pan, że morderca nosił żółte buty... Czy nie po to, by odwrócić podejrzenia od prawdziwego winowajcy, którego pan zna?

Młody człowiek obiema rękami ścisnął czoło.

– Już nie mogę – jęknął.

– Niech pan odpowie!

– Nie... Róbcie, co chcecie...

– Wprowadzić kolejnego świadka...

Kiedy drzwi się otworzyły, weszła Adèle. Była przesadnie pewna siebie. Przebiegła wzrokiem po zgromadzonych i zdała sobie sprawę, co się wydarzyło. Obdarzyła radiotelegrafistę przeciągłym spojrzeniem. Zdawało się, że jest zaskoczona jego przygnębieniem.

– Przypuszczam, Le Clinche, że rozpoznaje pan kobietę, którą podczas rejsu ukrywał w swojej kabinie kapitan Fallut i której był pan kochankiem...

Popatrzył na nią zimno. Mimo to Adèle już rozchylała usta w kusicielskim uśmiechu.

– To ona.

– Na pokładzie kręciliście się wokół niej we trzech: kapitan, główny mechanik i pan... Pan z nią był, przynajmniej raz... Głównemu mechanikowi się nie udało... Czy kapitan dowiedział się, że pan go przechytrzył?

– Nigdy ze mną o tym nie rozmawiał.

– Był bardzo zazdrosny, mam rację? To przez tę zazdrość nie odzywał się do pana przez trzy miesiące...

– Nie...

– Jak to? A więc istnieje jeszcze inny powód?

Radiotelegrafista zrobił się purpurowy na twarzy, nie wiedział, gdzie podziać oczy, wybełkotał pospiesznie:

– Znaczy się, może być, że to przez to... Nie wiem...

– Jaki był inny powód wzajemnej nienawiści lub unikania?

– Ja... Nie było... Ma pan rację... Był zazdrosny...

– Jakie uczucie skłoniło pana, by zostać kochankiem Adèle?

Milczenie.

– Czy pan ją kochał?

– Nie! – rzucił sucho.

Kobieta zaczęła ujadać:

– Dzięki! Uprzejmy, nie ma co! Mimo że do ostatniego dnia krążyłeś wokół mnie... Mówię prawdę?... Prawdą jest również to, że na lądzie czekała na ciebie inna...

Gaston Buzier udawał, że pogwizduje, kciuki włożył w wycięcia pod pachami w kamizelce.

– Proszę mi jeszcze powiedzieć, Le Clinche, czy Adèle była zamknięta w kabinie kapitana, kiedy wrócił pan na pokład, po tym, jak był pan świadkiem jego śmierci?

– Tak, była zamknięta!

– A więc nie mogła go zabić...

– Nie! To nie to, przysięgam...

Le Clinche zdenerwował się. Ale komisarz Girard spokojnie kontynuował.

– Buzier twierdzi, że pan nie zabił... Pan najpierw go oskarżył, a teraz to odwołał... Inna hipoteza jest taka, że jesteście wspólnikami...

– Dzięki! – wybuchnął Buzier z pogardą. – Kiedy będę miał zamiar popełnić morderstwo, to nie z takim... takim...

– Dość! Obaj mogliście zabić z zazdrości, ponieważ obaj byliście kochankami Adèle.

Buzier zachichotał.

– Ja, zazdrosny!... A niby o co?

– Ma pan jeszcze coś do powiedzenia?... Do pana mówię, panie Le Clinche...

– Nie!

– Buzier?

– Podtrzymuję, że jestem niewinny, i proszę, żeby mnie wypuszczono na wolność.

– A pani?

Adèle malowała usta szminką.

– Ja... – pociągnięcie pomadką po wargach – ... ja... – spojrzenie w lusterko – nie mam nic do powiedzenia... Wszyscy mężczyźni to chamy! Słyszał pan tego chłoptasia, dla którego może byłabym zdolna zrobić jakieś głupstwo? Nie musisz tak na mnie patrzeć, Gaston... Jeśli chce pan wiedzieć, co myślę, to w całej tej historii na statku są sprawy, o których nie mamy pojęcia... Z chwilą, kiedy wyszło na jaw, że na pokładzie była kobieta, uwierzyliście, że to wszystko tłumaczy... A jeśli było coś innego?

– Co na przykład?

– A skąd ja mam wiedzieć! Nie jestem z policji...

Wetknęła włosy pod czerwony, słomiany toczek. Maigret zauważył, że Pierre Le Clinche odwrócił głowę.

Komisarze wymienili spojrzenia. Girard powiedział:

– Le Clinche wróci do celi. Wy dwoje zaczekacie w mównicy. Za kwadrans powiem wam, czy jesteście wolni, czy nie...

Policjanci zostali sami, obaj byli zatroskani.

– Chce pan zaproponować sędziemu śledczemu, żeby ich wypuścił na wolność? – zapytał Maigret.

– Tak! Myślę, że to najlepsze wyjście. Możliwe, że są w to zamieszani. Ale szczegóły nam się wymykają...

– Do licha!

– Halo! Proszę z pałacem sprawiedliwości w Hawrze... Halo!... Tak, z prokuraturą...

Kiedy nieco później komisarz Girard rozmawiał z prokuratorem, w korytarzu rozległ się hałas. Maigret wybiegł z pokoju. Le Clinche leżał na podłodze i szamotał się z trójką umundurowanych mężczyzn.

Był straszliwie pobudzony. Oczy, nabiegłe krwią, wychodziły mu z orbit. Z ust szła piana. Ale trzymany ze wszystkich stron, został unieruchomiony.

– Co mu się stało?

– Nie założyliśmy mu kajdanek, bo był cały czas spokojny... Kiedy przechodziliśmy korytarzem, usiłował wyjąć mój rewolwer. Udało mu się. Chciał się zabić... Zdołałem go powstrzymać...

Rozciągnięty na podłodze Le Clinche patrzył do góry, wbił zęby w wargi, krew mieszała się ze śliną.

Największe wrażenie robiły łzy spływające po jego bladych policzkach.

– Może lekarz...

– Nie! Zostawcie go! – zarządził Maigret.

I kiedy tamten został sam na posadzce, rozkazał:

– Wstawaj! Idziemy! Szybciej! I spokojnie!... Bo jak nie, to ci przyłożę po gębie, ty głupi dzieciaku...

Radiotelegrafista posłuchał, był uległy i wystraszony. Drżał na całym ciele z gorączki. Upadając, pobrudził się.

– A co z pańską narzeczoną?

Nadszedł komisarz Girard.

– Wszystko jasne! – powiedział. – Cała trójka jest wolna, ale nie mają prawa opuszczać Fécamp... Co się stało?

– Ten dureń chciał się zabić! Jeśli pan pozwoli, zajmę się nim...

Szli nabrzeżem. Le Clinche przemył twarz zimną wodą, ale zostały czerwone plamy. Miał rozgorączkowane oczy, wargi odzyskały kolor.

Nie zważając na elegancję, zapiął szary, konfekcyjny garnitur na trzy guziki. Miał źle zawiązany krawat.

Maigret, z rękami w kieszeniach, szedł z zaciętą miną, burcząc jakby do siebie:

– Musi pan zrozumieć, że nie mam czasu na prawienie panu morałów... Jedna rzecz: jest tu pańska narzeczona... Ta dzielna dziewczyna przyjechała z Quimper i poruszyła niebo i ziemię... Może nie warto sprawiać jej przykrości...

– Czy ona wie?

– Nie trzeba mówić jej o tej kobiecie...

Maigret nie spuszczał z niego oczu. Doszli do nabrzeża. Żywe kolory łodzi rybackich lśniły w słońcu. Na chodniku panował ruch.

Le Clinche to sprawiał wrażenie, jakby nabrał chęci do życia, spoglądał wokół z nadzieją, to znów patrzył na ludzi i przedmioty twardym, gniewnym wzrokiem.

Musieli przejść tuż obok „Oceanu", który rozładowywano ostatni dzień. Przed hałowcem zostały trzy wagony.

Komisarz mówił spokojnie, narysując w powietrzu punkty:

– Pan był tam... Gaston Buzier tutaj... A w tym miejscu ktoś trzeci udusił kapitana...

Jego towarzysz głęboko odetchnął i odwrócił głowę.

– Tylko że było ciemno i nie mogliście się wzajemnie rozpoznać. W każdym razie tym trzecim nie był ani główny mechanik, ani drugi oficer, którzy wraz z załogą pili w „Rendez-vous des Terre-Neuvas".

Bretończyk, który był na pokładzie, dostrzegł radiotelegrafistę i pochylił się nad lukiem, skąd wyszło trzech marynarzy, żeby zobaczyć Le Clinche'a.

– Chodźmy! – powiedział Maigret. – Marie Léonnec na nas czeka.

– Nie mogę...

– Czego pan nie może?

– Pójść tam... Błagam pana, niech mnie pan zostawi! Obchodzi pana, że coś sobie zrobię? Tym bardziej, że tak będzie lepiej dla wszystkich!

– Tajemnica panu ciąży, co Le Clinche?

Tamten zamilkł.

– A pan nie może pisnąć słówka, mam rację? Tak, mam. Jedna rzecz: czy pan jeszcze pragnie Adèle?

– Nienawidzę jej!

– Tego nie powiedziałem. Powiedziałem „pragnie", jak pragnął jej pan podczas całego rejsu. A tak między nami, mężczyznami... Dużo miał pan przygód, zanim poznał pan Marie Léonnec?

– Nie... nic poważnego...

– Nigdy nie czuł pan namiętności, nie pragnął kobiety tak, żeby za nią płakać...

– Nigdy – westchnął, odwracając głowę.

– A więc przydarzyło się to na pokładzie... Jedna, jedyna kobieta w prymitywnym, monotonnym otoczeniu... Pachnące ciało na trałowcu cuchnącym rybami... Co pan mówi?

– Nic...

– Zapomniał pan o narzeczonej?

– To nie to samo...

Maigret popatrzył na jego twarz i ze zdumieniem dostrzegł zmianę. Zobaczył upór, nieruchome spojrzenie, gorycz. A jednak, mimo wszystko w mimice pozostała nostalgia, marzenie.

– Marie Léonnec jest ładna – ciągnął Maigret, idąc za jego myślami.

– Tak...

– I dużo bardziej dystyngowana niż Adèle... Poza tym, ona pana kocha... Jest gotowa na wszystkie poświęcenia, żeby...

– Niech pan już zamilknie! – warknął radiotelegrafista. – Pan dobrze wie, że... że...

– Że to co innego!... Że Marie Léonnec to grzeczna dziewczynka, że będzie wzorową żoną, będzie się troszczyć o dzieci, ale... zawsze już będzie panu czegoś brakowało, prawda? Czegoś gwałtownego, czego doznał pan na pokładzie, ukryty w kapitańskiej kabinie, z gardłem dławionym strachem, w ramionach Adèle... Czegoś wulgarnego, brutalnego... Przygody... I pragnienia, żeby gryźć, zrobić ostateczny ruch, zabić lub umrzeć...

Le Clinche patrzył na niego zdumiony.

– Skąd pan...

– Skąd wiem? Ponieważ każdy doznał tego przynajmniej raz w życiu... Wtedy się płacze, krzyczy, rzęzi! Dwa tygodnie później, patrząc na Marie Léonnec, zastanawiał się pan, jak to możliwe, że Adèle tak panem poruszyła...

Idąc, młodzieniec wpatrywał się w wodę połyskującą w basenie. Widać w niej było wydłużone odbicia białych, czerwonych lub zielonych dzwonkowatych kadłubów statków.

– Rejs się skończył... Adèle odeszła... Jest Marie Léonnec...

Chwila spokoju. Maigret ciągnął dalej:

– Nastąpił dramatyczny moment przełomowy: zginął człowiek, ponieważ na pokładzie była namiętność i...

Le Clinche'a ponownie opanowała gorączka:

– Niech się pan zamknie! Cisza! – powtarzał bezbarwnym głosem. – Nie! Pan widzi, że to niemożliwe...

Miał dzikie spojrzenie. Odwrócił się, żeby popatrzeć na trałowiec, który teraz, niemal pusty, wydawał się monstrualnie wysoki.

Znowu ogarnął go strach.

– Przysięgam panu... Pan musi mnie zostawić...

– Kapitan też był przerażony podczas rejsu, prawda?

– Co pan chce powiedzieć?

– A główny mechanik?

– Nie...

– A zatem tylko wy dwaj! To był strach, prawda, Le Clinche?

– Nie wiem... Niech mnie pan zostawi, błagam!

– Adèle siedziała w kabinie... Wokół krążyło trzech mężczyzn... A mimo to kapitan nie uległ pożądaniu, całymi dniami nie rozmawiał z kochanką... Pan podglądał ją przez bulaje, ale po tej jedynej schadzce już jej pan nie dotknął...

– Niech pan zamilczy...

– Ludzie w ładowniach gadali o złym oku, rejs przeradzał się w koszmar, od złego manewru aż po wypadek... Chłopiec okrętowy za burtą, dwóch rannych, zgniłe dorsze i nieudane wejście do portu...

Skręcili w bok od nabrzeża. Przed nimi rozciągała się plaża, czyste molo, hotele, kabiny i kolorowe leżaki na kamieniach.

Na słonecznej plamie rozpoznali panią Maigret siedzącą na leżaku, a obok Marie Léonnec w białym kapeluszu.

Le Clinche popatrzył za wzrokiem swego towarzysza, nagle zatrzymał się. Miał wilgotne skronie.

Komisarz kontynuował:

– Jedna kobieta nie starczała... Niech pan idzie... Narzeczona pana zobaczyła...

To była prawda. Dziewczyna podniosła się. Przez chwilę stała nieruchomo, jakby z nadmiaru emocji. A teraz biegła

molem, podczas gdy pani Maigret odłożyła robótkę i czekała.

Rozdział VII

W rodzinie

Podobne sytuacje powstają spontanicznie i trudno się od
nich uwolnić. Marie Léonnec, samotna w Fécamp, jadała
z Maigretami, powierzona im przez wspólnego przyjaciela.

Tym razem jednak był z nimi jej narzeczony. Cała czwór-
ka siedziała na plaży, kiedy hotelowy dzwonek oznajmił porę obiadu.

Pierre Le Clinche zawahał się, spoglądając z zakłopotaniem na pozostałych.

– Chodźmy, dostawi się jedno nakrycie więcej – powiedział Maigret.

I ujął żonę pod rękę, żeby przejść molem. Młodzi szli za nimi w milczeniu. Lub raczej Maria mówiła cicho, ale dobitnie.

– Czy wiesz, co ona mu mówi? – zapytał żonę komisarz.

– Tak! Powtórzyła mi to rano z dziesięć razy, żeby wiedzieć, czy dobrze... Zapewnia go, że nie ma mu za złe, cokolwiek zaszło... Rozumiesz? Nie mówi o kobiecie... Udaje, że
nie wie, ale zapewniła mnie, że położy nacisk na słowach cokolwiek zaszło... Biedna mała! Poszłaby za nim na koniec
świata.

– Niestety – westchnął Maigret.

– Co chcesz przez to powiedzieć?

– Nic. To nasz stolik?

Obiad przebiegał spokojnie, nazbyt spokojnie. Ciasne
ustawienie stolików uniemożliwiało prowadzenie swobodnej
rozmowy.

Maigret starał się nie patrzeć na Le Clinche'a, żeby go nie krępować, ale zachowanie radiotelegrafisty niepokoiło go, podobnie jak Marie Léonnec, co widać było na jej zmartwionej twarzy.

Młodzieniec był ponury i przygnębiony. Jadł. Pił. Odpowiadał na pytania. Ale myślami błądził gdzie indziej. Wielokrotnie, słysząc za sobą kroki, podskakiwał, jakby bał się zagrożenia.

Przez szerokie okna jadalni widzieli morze pobłyskujące słonecznymi cekinami. Było gorąco. Le Clinche siedział plecami do okien i chwilami odwracał się gwałtownym, nerwowym ruchem, żeby sprawdzić horyzont.

Pani Maigret podtrzymywała rozmowę, zwracając się głównie do dziewczyny. Mówiła o błahostkach, nie dopuszczając, by zaległa cisza.

Byli daleko od dramatycznych wydarzeń. Swojski wystrój hotelu. Kojące pobrzękiwanie talerzy i szklanek. Na stole wypełniona do połowy butelka bordeaux i butelka wody mineralnej.

W dodatku kierownik hotelu się pomylił. Podszedł podczas deseru i zapytał, patrząc na Le Clinche'a:

– Czy mam kazać przygotować pokój dla pana?

Wyczuł, że to narzeczony. Maigretów wziął zapewne za rodziców dziewczyny.

Radiotelegrafista kilkakrotnie powtórzył poranny gest, taki sam jak podczas konfrontacji. Nieznacznie przesunął ręką po czole. Ruchem apatycznym, znużonym.

– Co robimy?

Ludzie rozchodzili się. Stanęli w czwórkę na tarasie.

– A gdybyśmy tak chwilę odpoczęli? – zaproponowała pani Maigret.

Ich leżaki stały na plaży. Maigretowie usiedli.

Młodzi stali nadal, zakłopotani.

– Może się przejdziemy... – zaryzykowała w końcu Marie Léonnec, zwracając się z szerokim uśmiechem do pani Maigret.

Komisarz zapalił fajkę, mrucząc pod nosem do żony, kiedy zostali sami:

– Tak, tym razem nie wyglądam jak teść!

– Nie wiedzą, co mają robić. Są w trudnej sytuacji – zauważyła żona, która śledziła ich wzrokiem. – Popatrz na nich. Są skrępowani... Może się mylę, ale uważam, że Marie ma silniejszy charakter od narzeczonego.

Chłopak wyglądał żałośnie. Miał wątłą sylwetkę i niedbały chód. Z daleka można było sądzić, że nie interesuje się swoją towarzyszką, nie odzywał się do niej. Wyczuwało się jednak jej dobrą wolę, paplała, żeby go zagadać, usiłowała nawet sprawiać wrażenie wesołej.

Na plaży były jeszcze inne grupki. Ale spośród mężczyzn tylko Le Clinche nie miał białych spodni. Był w zwykłym garniturze, przez co wyglądał jeszcze smutniej.

– Ile on ma lat? – zapytała pani Maigret.

Mąż, z półprzymkniętymi oczami, odwrócony na fotelu, rzucił:

– Dziewiętnaście. Dzieciuch... Boję się, że jest na straconej pozycji, jak ptak w szponach kota.

– Dlaczego? Nie jest niewinny?

– Prawdopodobnie nie zabił... Nie! Dałbym sobie rękę uciąć... Ale obawiam się, że mimo to nie ma szans... Popatrz na niego! I popatrz na nią...

– Cóż, jak zostaną sami i pocałują się...

– Może...

Maigret był pesymistą.

– Jest zaledwie trochę starsza od niego... Bardzo go kocha. Jest gotowa zostać grzeczną żonką...

– Dlaczego myślisz, że?...

– Że to się nie uda?...Przeczucie... Czy przyglądałaś się kiedyś fotografiom osób, które umarły w młodym wieku? Zawsze mnie uderzało to, że choć zostały zrobione w czasie, kiedy ci ludzie byli zdrowi, kryją w sobie jakiś smutek. Można by powiedzieć, że ci, którym pisany jest los ofiary dramatu, noszą swój wyrok na twarzy.

– I ty uważasz, że ten chłopak?...

– Jest smutny, zawsze był smutny! Urodził się w biedzie. I przez to cierpiał. Tyrał zawzięcie, jakby płynął pod prąd! Udało mu się zaręczyć z uroczą dziewczyną, mającą wyższą pozycję społeczną. No cóż, nie wierzę... Popatrz na nich. Jak się szarpią... Chcieliby być optymistami. Usiłują wierzyć w swoje przeznaczenie...

Maigret mówił spokojnym, bezbarwnym głosem, podążając wzrokiem za dwiema postaciami, których sylwetki odcinały się na tle pobłyskującego morza.

– Kto oficjalnie kieruje śledztwem?

– Girard, komisarz z brygady z Hawru, nie znasz go. Inteligentny gość...

– Uważa, że jest winny?

– Nie! W każdym razie nie ma na to żadnego dowodu, ani nawet poważnej poszlaki...

– A ty co myślisz?

Maigret odwrócił się, jakby chciał zobaczyć zasłonięty domami trałowiec.

– Myślę, że to był tragiczny rejs, przynamniej dla dwóch mężczyzn... Na tyle tragiczny, że po powrocie kapitan Fallut nie mógł dłużej żyć, a radiotelegrafista nie mógł już podjąć normalnej egzystencji...

– Z powodu kobiety?

Nie odpowiedział wprost na pytanie, ciągnął dalej:

– Pozostali, osoby spoza dramatu, jak węglarze, zostali nim naznaczeni, choć nie zdają sobie z tego sprawy. Wrócili agresywni, niespokojni... Dwaj mężczyźni i kobieta przez trzy miesiące pozostawali na rufie... Kilka czarnych ścian poprzecinanych bulajami... To wystarczyło...

– Rzadko kiedy widziałam, by sprawa wywarła na tobie takie wrażenie... Mówisz o trzech osobach... Co mogły zrobić na pełnym morzu?

– Tak... Co mogły zrobić? Coś takiego, co zabiło kapitana Falluta! I co jeszcze teraz może zniszczyć tych dwoje, którzy wyglądają, jakby szukali na plaży resztek marzeń...

Zbliżali się, kołysząc ramionami, nie wiedząc, czy grzeczność nakazuje dołączyć do Maigretów, czy też dyskretnie się oddalić.

Podczas przechadzki energia Marie Léonnec częściowo wyparowała. Teraz rzuciła pani Maigret zawiedzione spojrzenie. Można się było domyślić, że wszystkie jej zabiegi, wszystkie uniesienia rozbiły się o mur beznadziei i apatii.

Pani Maigret miała zwyczaj jadania podwieczorków. Tak więc około czwartej usiedli we czwórkę na hotelowym tarasie pod pasiastymi parasolami, które miały tworzyć wesoły nastrój.

W dwóch filiżankach parowała czekolada. Maigret zamówił piwo, a Le Clinche koniak z wodą.

Rozmawiali o Jorissenie, nauczycielu z Quimper, który zwrócił się do Maigreta z prośbą o przysługę w sprawie radiotelegrafisty i który przywiózł Marię Léonnec. Wymieniali banalne uwagi.

– To najlepszy człowiek na świecie...

Ciągnęli ten wątek bez przekonania, tylko dlatego, że wypadało rozmawiać. Nagle Maigret zamrugał, wpatrując się w parę nadchodzącą molem.

Byli to Adèle i Gaston Buzier. On – nieproporcjonalny, z rękami w kieszeniach, w słomkowym kapeluszu zsuniętym na tył głowy, szedł nonszalanckim krokiem; ona – jak zwykle ożywiona i prowokująca.

– Żeby nas tylko nie zauważyła! – pomyślał komisarz.

Ale w tej samej chwili ich spojrzenia się spotkały. Dziewczyna przystanęła, powiedziała coś do swego towarzysza, który usiłował ją powstrzymać.

Za późno! Przeszła przez ulicę. Rozejrzała się po stolikach na tarasie i wybrała ten, który stał najbliżej Maigretów. Usiadła tak, żeby mieć naprzeciwko siebie Marie Léonnec.

Jej kochanek podążył za nią, wzruszając ramionami. Mijając komisarza, dotknął ronda kapelusza i usiadł okrakiem na krześle.

– Co zamawiasz?

– Na pewno nie czekoladę! Kminkówkę!

A więc wojna! Mówiąc o czekoladzie, wpatrywała się w filiżankę dziewczyny i Maigret zauważył, że po ciele Marie Léonnec przebiegł dreszcz.

Nigdy nie widziała Adèle. Ale mimo to zrozumiała. Popatrzyła na Le Clinche'a, który odwrócił głowę.

Pani Maigret dwukrotnie dotknęła stopą nogi męża.

– Gdybyśmy poszli we czwórkę do Casino...

Ona również się domyśliła. Ale nikt nie odpowiedział. Tylko Adèle paplała przy sąsiednim stoliku, wzdychając:

– Co za upał! Weź mój żakiet, Gaston...

Zdjęła żakiet, odsłaniając różowy jedwab, bujne ciało i nagie ramiona. Ani na moment nie spuszczała wzroku z dziewczyny.

– Lubisz szary kolor? Nie sądzisz, że powinno się zakazać noszenia takich smutnych kolorów na plaży?

To było głupie! Marie Léonnec miała szary kostium. Widać było, że tamta chce atakować, nieważne jak, byle szybko.

– Kelner!

Miała ostry głos. Rozmyślnie podkreślała swoją wulgarność.

Gaston Buzier wyczuł niebezpieczeństwo. Znał swoją kochankę. Szepnął jej kilka słów. Ale ona głośno odpowiedziała:

– A bo co? Taras jest chyba dla wszystkich?

Tylko pani Maigret siedziała tyłem do niej. Komisarz i radiotelegrafista siedzieli bokiem, a Marie Léonnec przodem.

– Wszyscy są tyle samo warci, prawda? Tylko że ci, którzy czołgają się u twoich stóp, kiedy nikt ich nie widzi, w towarzystwie nawet się nie ukłonią!

Roześmiała się! Jej śmiech był nieprzyjemny. Wpatrywała się w dziewczynę, która była teraz purpurowa na twarzy.

– Ile płacę? – zapytał Buzier, chcąc, żeby się to jak najszybciej skończyło.

– Mamy czas! Proszę przynieść jeszcze raz to samo! I dla mnie orzeszki ziemne...

– Nie mamy orzeszków.

– To proszę po nie pójść. Za to panu płacą, jak sądzę...

Dwa pozostałe stoliki były zajęte. Spojrzenia powędrowały ku nowej parze, która zwracała na siebie uwagę. Maigret niepokoił się. Zapewne miał ochotę zakończyć scenę, która mogła mieć fatalny finał.

Ale z drugiej strony miał przed sobą rozdygotanego radiotelegrafistę.

Było to pasjonujące jak sekcja zwłok. Le Clinche siedział bez ruchu. Nie odwrócił się w stronę kobiety, mimo to musiał widzieć ją niewyraźnie po swojej lewej stronie, w każdym razie zauważył zapewne różową plamę jej bluzki.

Miał nieruchome, ciemnoszare źrenice. Dłoń, którą położył na stole, zamykała się powoli, jak macki morskiego zwierzęcia.

Za wcześnie, by można było cokolwiek przewidzieć. Czy wstanie i ucieknie? Czy rzuci się na gadającą kobietę? Czy?...

Nie! Nic z tego! To było coś gorszego, sto razy bardziej poruszającego. Zamykała się nie tylko jego ręka. On cały się kurczył. Jakby się zwijał do wewnątrz.

Jego oczy stały się tak szare jak jego cera.

Nie ruszał się. Czy oddychał? Nie było widać drżenia, ani jednego skurczu. Ale ten bezruch, niemal absolutny, był już prawie nierealny.

– To mi przypomina innego kochanka, który miał żonę i trójkę dzieci...

Marie Léonnec ciężko dyszała. Jednym haustem wypiła czekoladę, żeby ratować twarz.

– Był najbardziej namiętnym mężczyzną na ziemi... Czasami, kiedy nie chciałam się z nim spotkać, szlochał na podeście i wszyscy lokatorzy mieli świetną zabawę. „Moja mała Adèle, moja kochana, najdroższa...". Sama poezja, co? Pewnej niedzieli spotkałam go na spacerze z żoną i dzieciakami. Słyszę, jak żona pyta: „Co to za kobieta?". A on odpowiada z godnością: „Pewnie kokota! Tylko one tak się ubierają...".

I roześmiała się. Grała dla galerii. Wypatrywała na twarzach widzów efektu swego zachowania.

– Są jednak ludzie, którzy mają słabe nerwy...

Jej kompan znowu próbował ją uciszyć, mówiąc do niej szeptem.

– Do licha z tobą! Masz stracha? Płacę za siebie, no nie?... Nikomu nic złego nie zrobiłam... Dlatego nie ma mi nic do powiedzenia... Kelner, co z tymi orzeszkami? Pan przyniesie jeszcze kminkówkę...

– Gdybyśmy poszli... – powiedziała pani Maigret.

Za późno. Adèle już się rozkręciła. Było jasne, że jeśli wyjdą, zrobi wszystko, żeby za wszelką cenę wywołać skandal.

Marie Léonnec uparcie wpatrywała się w stół. Miała czerwone uszy, błyszczące oczy i półotwarte ze strachu usta.

Tymczasem Le Clinche zamknął oczy. Siedział jak ślepiec, ze stężałą twarzą. Jego nieruchoma dłoń nadal spoczywała na stole.

Jeszcze nigdy Maigret nie miał okazji przyjrzeć mu się tak dokładnie. Twarz była bardzo młoda i jednocześnie bardzo stara, jak to się często zdarza u nastolatków, którzy mieli ciężkie dzieciństwo.

Le Clinche był wysoki, wyższy niż średni, ale jego ramiona nie były jeszcze ramionami mężczyzny.

Niepielęgnowana skóra upstrzona była piegami. Tego dnia się nie golił, więc na jego podbródku i na policzkach pojawiły się jasne refleksy zarostu.

Nie był przystojny. Pewnie nieczęsto w życiu się śmiał. Natomiast niejednokrotnie w nocy czuwał, dużo czytał, dużo pisał w nieoświetlonych pokojach, w kajucie kołysanej przez ocean, przy świetle słabych lampek.

– W gruncie rzeczy najbardziej mnie mierzi, kiedy widzę, że ludzie, którzy to robią z grzeczności, są niewiele lepsi od nas...

Adèle niecierpliwiła się, gotowa pleść byle co, żeby tylko dopiąć swego.

– Na przykład młode dziewczyny, które udają głupie gęsi, a biegną za mężczyzną tak, jak nie odważyłaby się żadna dziwka...

Właściciel hotelu stał w progu i wyglądał, jakby pytał wzrokiem klientów, czy już powinien interweniować.

Maigret widział już tylko Le Clinche'a. Głowę nieznacznie pochylił do przodu. Oczy pozostały zamknięte.

Ale spod opuszczonych powiek płynęły łzy, rozdzielały rzęsy, zatrzymywały się i spływały zygzakiem po policzkach.

Nie pierwszy raz komisarz widział płaczącego mężczyznę. Ale po raz pierwszy był tak bardzo poruszony, może z powodu ciszy, bezruchu całego ciała.

Na twarzy radiotelegrafisty żywe były tylko te mokre perły. Cała reszta umarła.

Marie Léonnec niczego nie widziała. Adèle mówiła nadal.

Wtedy, sekundę później, Maigret miał przeczucie. Ręka leżąca na stole niezauważalnie się wyprostowała. Druga tkwiła w kieszeni.

Powieki otworzyły się zaledwie na milimetr, akurat tyle, by przeniknęło przez nie spojrzenie. Spojrzenie, które szukało Marie.

W tej samej chwili, kiedy komisarz wstał, rozległ się strzał. Wszyscy naraz zerwali się wśród krzyków i hałasu odsuwanych krzeseł.

Le Clinche nie poruszył się od razu. Tylko jego tułów przechylił się niepostrzeżenie w lewo, a usta otwarły z lekkim rzężeniem.

Marie Léonnec nie rozumiała, ponieważ nie było widać broni. Rzuciła się na niego, ściskała go za kolana, prawą rękę, odwróciła się, odchodziła od zmysłów.

– Komisarzu! Co jest?...

Tylko Maigret domyślił się, co się stało. Le Clinche ukrył w kieszeni rewolwer znaleziony Bóg wie gdzie, ponieważ rano, wychodząc z więzienia, go nie miał.

Strzelił, trzymając go w kieszeni! Podczas całej przemowy Adèle ściskał rękojeść, kiedy zamknął oczy, czekał, może się wahał.

Kula musiała trafić w brzuch lub w żebra. Widzieli osmaloną, przedziurawioną na wysokości biodra marynarkę. Ktoś wołał:

– Lekarz! Policja!

Lekarz, który był na plaży zaledwie sto metrów od hotelu, przybiegł w kąpielówkach.

Ktoś podtrzymał padającego Le Clinche'a. Zaniesiono go do jadalni. Marie szła za orszakiem jak oszalała.

Maigret nie miał czasu zajmować się Adèle i jej partnerem. Wchodząc do kawiarni, zauważył jej jaskrawą bluzkę. Patrzył, jak dziewczyna opróżnia dużą szklankę, a jej zęby dzwonią o szkło.

Sama się obsługiwała. Miała jeszcze w ręku butelkę. Ponownie napełniła szklankę...

Komisarz więcej się nią nie niepokoił, ale zachował obraz tej bladej twarzy ponad różową bluzką, a zwłaszcza zapamiętał zęby dzwoniące o kryształ.

Nie zauważył Gastona Buziera. Drzwi do jadalni zamknięto.

– Nie stójcie tutaj! – powiedział właściciel do gości. – Spokój! Lekarz prosi, żeby nie robić hałasu.

Maigret pchnął drzwi, zobaczył klęczącego lekarza. Pani Maigret przytrzymywała półprzytomną dziewczynę, która za wszelką cenę chciała biec do rannego.

– Policja – szepnął lekarzowi komisarz.

– Czy mógłby pan wyprosić te panie? Będę musiał go rozebrać i...

– Oczywiście...

– Będę potrzebował dwóch osób do pomocy. Niech ktoś już teraz zadzwoni po karetkę.

– To poważne?

– Nic nie mogę powiedzieć, zanim nie obejrzę rany. A pan zdaje sobie sprawę...

Tak! Maigret zdawał sobie sprawę, patrząc na pomieszane fragmenty ciała i ubrania.

Na stole nakryto już do kolacji. Pani Maigret wyszła, zabierając Marie Léonnec. Jakiś młodzieniec we flanelowych spodniach mówił nieśmiało:

– Pozwoli pan, że pomogę... Jestem uczniem w aptece...

Ukośny promień czerwonego słońca odbijał się od wystawy i było to tak oślepiające, że Maigret poszedł opuścić żaluzje.

– Zechce mu pan unieść nogi?

Przypomniał sobie, co powiedział do żony po południu, kiedy siedział leniwie na leżaku i śledził wzrokiem niezgrabną sylwetkę, obok mniejszej i ożywionej sylwetki Marie Léonec.

– Jak ptak w szponach kota...

Kapitan Fallut umarł zaraz po powrocie. Pierre Le Clinche walczył długo, zażarcie, może nawet wtedy, kiedy zamknąwszy oczy, siedział z jedną ręką na stole, a drugą w kieszeni, a Adèle grała dla gawiedzi.

Rozdział VIII

Pijany marynarz

Maigret opuścił szpital tuż przed północą. Czekał, aż z sali operacyjnej wywiozą pacjenta przykrytego białym prześcieradłem.

Chirurg mył ręce. Pielęgniarka układała narzędzia.

– Spróbujemy go uratować! – usłyszał komisarz. – Kula przebiła jelita w siedmiu miejscach. Nazywamy to brudną raną. Zrobiliśmy tam trochę porządku.

Lekarz wskazał kuwety wypełnione krwią, watą, środkami dezynfekującymi.

– Cholerna robota, słowo daję...

Lekarze, asystenci i pielęgniarki byli w dobrych humorach. Przywieziono im rannego w stanie beznadziejnym, brudnego, z otwartą raną brzucha i poparzeniami, ze strzępkami ubrania wbitymi w skórę.

Ciało, które leżało na noszach, było czyste, a brzuch starannie zszyty.

Resztę zrobi się później. Może Le Clinche odzyska zmysły, a może nie? W szpitalu nie dociekano, kto to jest.

– Naprawdę jest szansa, że się z tego wykaraska?

– Dlaczego nie? W czasie wojny widywaliśmy gorsze przypadki.

Maigret natychmiast zatelefonował do hotelu de la Plage, żeby pocieszyć Marie Léonnec. Teraz szedł, zupełnie sam. Szpitalne drzwi zamknęły się za nim, wydając odgłos dobrze naoliwionych narzędzi. Była noc, na ulicy żywego ducha, wokół mieszczańskie domki.

Nie zrobił nawet dziesięciu kroków, kiedy od ściany oderwał się jakiś kształt, a w świetle ulicznej latarni ukazała się twarz Adèle. Zapytała gniewnym tonem:

– Nie żyje?

Zapewne czekała od kilku godzin. Napięte rysy twarzy, rozprostowane kosmyki włosów na skroniach.

– Jeszcze żyje – odpowiedział Maigret tym samym tonem.

– Umrze?

– Może tak... może nie...

– Pan myśli, że zrobiłam to celowo?

– Nic nie myślę.

– Bo to nieprawda...

Komisarz szedł dalej. Chcąc za nim nadążyć, musiała iść bardzo szybko.

– W gruncie rzeczy musi pan przyznać, że to jego wina...

Maigret udawał, że nie słucha, ale ona była uparta.

– Pan dobrze wie, co chcę powiedzieć. Na pokładzie było dobrze, jak nie mówił o małżeństwie. Później, na lądzie...

Nie rezygnowała. Wydawało się, że kieruje nią nieodparta potrzeba mówienia.

– Sądzi pan, że jestem złą dziewczyną, ale to dlatego, że mnie pan nie zna. Są chwile... Proszę mnie posłuchać, panie komisarzu... Mimo wszystko musi mi pan powiedzieć prawdę. Wiem, co to kula... Zwłaszcza wystrzelona z bliska, w brzuch. Zrobili mu laparotomię, prawda?

Czuło się, że bywała w szpitalach, słuchała rozmów lekarzy, odwiedzała ludzi, dla których strzał z rewolweru to nie pierwszyzna.

– Czy operacja się udała? Zdaje się, że dużo zależy od tego, co się zjadło...

Nie był to nagły strach, tylko gwałtowny upór, którego nic nie mogło powstrzymać.

– Nie chce mi pan odpowiedzieć? A przecież pan dobrze zrozumiał, dlaczego niedawno byłam taka wściekła. Gaston to wariat, nigdy go nie kochałam.Natomiast tamten...

– Możliwe, że żyje! – powiedział Maigret, patrząc dziewczynie w oczy. – Ale jeśli dramat, który wydarzył się na „Oceanie", nie zostanie wyjaśniony, nie będzie to miało większego znaczenia.

Czekał, aż coś powie, zadrży. Opuściła głowę.

– Pan pewnie uważa, że ja wiem. Od chwili, kiedy tamci dwaj zostali moimi kochankami... A jednak przysięgam...Nie! Pan nie znał kapitana Falluta, więc nie może pan zrozumieć... Był oczywiście zakochany. Przychodził do mnie w Hawrze. Taka namiętność w jego wieku rzuciła mu się trochę na mózg. Mimo to był drobiazgowy, władczy, opętany zamiłowaniem do porządku. Ciągle się zastanawiam, jakim cudem się zgodził, żebym się ukryła na pokładzie... Wiem jednak, że zaledwie wypłynęliśmy na pełne morze, pożałował tego i zaczął mnie nienawidzić. Od razu się zmienił.

– Ale radiotelegrafisty pani jeszcze wtedy nie widziała!

– Nie. Dopiero na czwartą noc, już panu mówiłam.

– Jest pani pewna, że Fallut miał już przedtem dziwny nastrój?

– Może nie aż tak. Później były dni, kiedy zastanawiałam się, czy rzeczywiście nie zwariował...

– I nie domyśla się pani, co mogło być przyczyną takiego zachowania?

– Nie. Myślałam o tym... Czasami mówiłam sobie, że on i radiotelegrafista musieli mieć jakiś wspólny sekret. Myślałam nawet, że wieziemy kontrabandę. O, nie dam się już zabrać na trałowiec! Niech pan pomyśli, że to trwało trzy miesiące. I tak się skończyło! Jeden zabity, jak tylko dobiliśmy do brzegu... Drugi, który... On naprawdę żyje, prawda?

Doszli do nabrzeża i kobieta zawahała się, czy iść dalej.

– Gdzie jest Gaston Buzier?

– W hotelu. Dobrze wie, że nie pora teraz na zawracanie mi głowy i że tak czy siak go zostawię.

– Pójdzie pani do niego?

Wzruszyła ramionami w geście, który oznaczał: „Dlaczego nie?".

I znowu zaczęła go kokietować. Kiedy się rozstawali, wyszeptała z nieporadnym uśmiechem:

– Dziękuję, panie komisarzu. Był pan dla mnie dobry... Ja...

Nie odważyła się iść na całość. To było zaproszenie, obietnica...

– Dobrze, dobrze! – burknął, oddalając się.

I pchnął drzwi wejściowe do „Rendez-vous des Terre--Neuvas".

Kładąc rękę na klamce, wyraźnie usłyszał hałas dochodzący z wnętrza kawiarni, jakby mówiło jednocześnie z tuzin mężczyzn.

Kiedy otworzył drzwi, zapadła martwa cisza, jak nożem uciął. A przecież było ich więcej niż dziesięciu, w dwóch lub trzech grupach, które dopiero co musiały sobie wymyślać ponad stolikami.

Właściciel lokalu podszedł do Maigreta, z pewnym zakłopotaniem uścisnął mu rękę.

– Czy to prawda, co mówią? Le Clinche strzelił do siebie z rewolweru?

Zmieszani goście pili. Byli wśród nich Mały Lolo, Murzyn, Bretończyk, główny mechanik z trałowca, jeszcze kilku innych, których komisarz znał z widzenia.

– Prawda – odparł Maigret.

Zauważył, że główny mechanik ni stąd, ni zowąd nieswojo poruszył się na ławie pokrytej ceratą.

– Pamiętny rejs! – zawołał z kąta ktoś mówiący z wyraźnym akcentem normandzkim.

Słowa te zapewne dość dobrze wyrażały powszechne odczucie, ponieważ ludzie spuścili głowy, czyjaś pięść uderzyła w marmurowy blat stołu, a jakiś głos zawtórował:

– Przeklęty rejs...

Ale Léon zakaszlał, przypominając klientom o zachowaniu ostrożności, i wskazał im marynarza w czerwonej bluzie, który pił samotnie w rogu sali.

Maigret usiadł bliżej baru i zamówił koniak z wodą.

Rozmowy ucichły. Każdy starał się zachować zimną krew. A Léon jak zręczny reżyser zwrócił się do najliczniejszej grupy z propozycją:

– Zagramy w domino?

W ten sposób mogli do woli hałasować i zająć ręce. Kostki domina z czarnymi spodami pomieszano na marmurowym blacie. Właściciel zasiadł obok komisarza.

– Kazałem im się uciszyć – szepnął – ponieważ gość w rogu po lewej, obok okna, jest ojcem chłopaka... Rozumie pan?

– Jakiego chłopaka?

– Tego chłopca okrętowego... Jeana-Marie. Tego, który trzeciego dnia wyleciał za burtę.

Mężczyzna nastawił uszu. Jeśli nawet nie rozróżniał słów, domyślił się, że mówiono o nim. Skinął na kelnerkę, żeby mu nalała do szklanki i wychylił ją jednym haustem, otrząsając się ze wstrętem.

Był już pijany. W jego jasnoniebieskich, głęboko osadzonych oczach widać było przeraźliwy smutek. Lewy policzek wypełniała mu porcja tytoniu.

– Też pływa do Nowej Fundlandii?

– Kiedyś pływał. Teraz ma siedmioro dzieci i zimą łowi śledzie, bo to krótsze rejsy: najpierw trwają miesiąc, potem, w miarę jak ryby przenoszą się na południe, coraz krócej.

– A latem?

– Łowi na własny rachunek, stawia sieci i kosze na homary.

Mężczyzna siedział na tej samej ławie co Maigret, ale po przeciwnej stronie. Komisarz obserwował go w lustrze.

Był niski, barczysty. Typ marynarza z północy – krępy, otyły, z krótką szyją, miał różową skórę i jasne włosy. Jak u większości rybaków, jego ręce pokrywały blizny po czyrakach.

– Zawsze tyle pije?

– Wszyscy piją, ale on upija się od śmierci tego dzieciaka... Kiedy znowu zobaczył „Ocean", przeżył wstrząs.

Mężczyzna patrzył teraz na nich bezczelnie.

– Czego pan ode mnie chce? – wybełkotał pod adresem Maigreta.

– Nic...

Wszyscy marynarze obserwowali tę scenę, nie przerywając partyjki domino.

– Niech pan mówi! Może nie mam prawa pić, co?

– Ależ ma pan prawo.

– Niech pan powie, że nie mam prawa pić... – powtórzył z pijackim uporem.

Wzrok komisarza padł na czarną opaskę, którą nosił na czerwonej bluzie.

– To po co tu obaj krążycie i rozmawiacie o mnie?

Léon dał znać Maigretowi, żeby nie odpowiadał, i podszedł do klienta.

– No już, nie rób burdy, Canut. Pan komisarz nie mówi o tobie, tylko o chłopaku, który się postrzelił.

– Akurat coś dla niego! Nie żyje?

– Nie, chyba go uratują...

– Tym gorzej, wszyscy powinni zdechnąć.

Słowa te zrobiły silne wrażenie. Wszystkie głowy zwróciły się w stronę Canuta. A ten czuł, że musi krzyczeć coraz głośniej:

– Tak, wszyscy, tak jak tu jesteście...

Léon zaniepokoił się. Patrzył po gościach błagalnym wzrokiem, a pod adresem Maigreta wykonał bezradny gest.

– No dalej, idź spać... Żona czeka...

– Mam to gdzieś...

– Jutro nie będzie ci się chciało podnosić sieci.

Pijak zaczął się głupio śmiać. Korzystając z tego, Mały Lolo zawołał Julie.

– Ile?

– Za dwie kolejki?

– Tak, zapiszesz je na moje konto. Jutro przed odpłynięciem dostanę zaliczkę.

Wstał, to samo zrobił automatycznie Bretończyk, który nie opuszczał go ani na krok. Dotknął ręką kaszkietu. I drugi raz w stronę Maigreta:

– Tchórze! – wrzeszczał pijak do mijających go mężczyzn.

– Sami tchórze...

Bretończyk zacisnął pięści, chciał odpowiedzieć, ale Mały Lolo go pociągnął.

– Idź spać – powtórzył Léon. – I tak zaraz zamykamy...

– Pójdę, jak wszyscy pójdą. Jestem tyle samo wart, co inni, mam rację?

I poszukał wzrokiem Maigreta. Jakby chciał sprowokować dyskusję.

– A ten gruby... Co chce z tego zrozumieć?

Mówił o komisarzu. Léon był jak na rozżarzonych węglach. Ostatni goście zwlekali z wyjściem, przekonani, że coś się wydarzy.

– No, już idę... Ile płacę?

Pogmerał pod bluzą i wyciągnął skórzaną sakiewkę, rzucił na stół wytłuszczone banknoty, wstał, zachwiał się, doszedł do drzwi i z trudem je otworzył.

Krzyczał coś niezrozumiałego, przekleństwa lub groźby. Na dworze przykleił twarz do szyby, żeby ostatni raz spojrzeć na Maigreta, a jego nos rozpłaszczył się na zaparowanym szkle.

– To był dla niego cios – westchnął Léon, wracając na miejsce. – Miał tylko jednego syna. Pozostałe dzieciaki to dziewczynki. Można powiedzieć, że to się nie liczy...

– Co się tu mówi? – zapytał Maigret.

– O radiotelegrafiście? Nie wiedzą, to wymyślają... Takie tam historyjki na dobranoc...

– Co?

– Nie wiem... Najczęściej mówią o złym oku...

Maigret poczuł na sobie bystre spojrzenie. To główny mechanik, który siedział przy stoliku naprzeciwko.

– Żona już nie jest zazdrosna? – zapytał go.

– Jutro wypływamy, chciałbym zobaczyć, jakby mnie zatrzymała w Yport!

– „Ocean" jutro wypływa?

– Tak, podczas przypływu. Jeśli pan sądzi, że armatorzy go zostawią, żeby rdzewiał w porcie...

– Znaleźli kapitana?

– Jakiegoś emeryta, który nie pływał od ośmiu lat! W dodatku dowodził trójmasztowcem! Będzie zabawa...

– A radiotelegrafistę?

– Mają dzieciaka, którego wyciągnęli ze szkoły. Ze Szkoły Sztuk i Rzemiosł...

– Drugi oficer wrócił?

– Wezwano go telegraficznie. Przyjedzie jutro rano.

– A załoga?

– Jak zwykle. Zbierają wszystkich portowych szwendajłów. Zawsze to coś, prawda?

– Znaleźli chłopca okrętowego?

Tamten rzucił bystre spojrzenie.

– Tak! – zakończył sucho.

– Cieszy się pan, że wypływacie?

Brak odpowiedzi. Główny mechanik znowu zamówił grog. Léon powiedział półgłosem:

– Dostaliśmy właśnie informacje o „Pacific", który powinien wrócić w tym tygodniu. To bliźniak „Oceanu". Zatonął w niecałe trzy minuty po tym, jak roztrzaskał kadłub o skały... Cała załoga zginęła. U góry jest żona drugiego oficera. Przyjechała z Rouen, żeby czekać na męża. Całe dnie spędza na pomoście. Jeszcze nie wie... Kompania czeka na potwierdzenie, żeby to ogłosić.

– To seria! – zawołał główny mechanik, który usłyszał, o czym rozmawiają.

Murzyn ziewał, przecierał oczy, ale nie zamierzał odejść. Porzucone kostki domina tworzyły skomplikowany wzór na szarym prostokącie stołu.

– W gruncie rzeczy – powiedział powoli Maigret – nikt nie wie, dlaczego radiotelegrafista usiłował popełnić samobójstwo?

Słowa te napotkały tylko upartą ciszę. Czy wszyscy ci mężczyźnie wiedzieli? Czy aż tak popierali tę swoistą masonerię ludzi morza, że nie lubili, by ci z lądu zajmowali się ich sprawami?

– Ile płacę, Julie?

Wstał, zapłacił, ciężko podszedł do drzwi odprowadzony spojrzeniami dziesięciu osób. Odwrócił się, ale napotkał tylko nieprzeniknione lub gniewne twarze. Sam Léon, mimo dobrej woli, tworzył z nimi jedno ciało.

Był odpływ. Widać było jedynie komin trałowca i bom. Wagony zniknęły. Nabrzeże opustoszało.

Łódź rybacka, z białym światłem kołyszącym się na szczycie masztu, oddalała się powoli w kierunku pomostów, słychać było rozmowę dwóch mężczyzn.

Maigret nabił ostatnią fajkę, popatrzył na miasto, wieże kościoła św. Benedykta i pobliskie ponure mury szpitala.

Okna „Rendez-vous des Terre Neuvas" przecinały nabrzeże dwoma świetlistymi prostokątami.

Morze było spokojne. Słychać było tylko cichy szum wody muskającej kamienie i słupy pomostu.

Komisarz był tuż nad brzegiem. Potężne cumy „Oceanu" okręcono wokół brązowych knag.

Przechylił się. Mężczyźni zamykali klapy ładowni, gdzie w ciągu dnia załadowano sól. Jeden z nich, młodszy niż Le Clinche, w wyjściowym garniturze, obserwował pracę marynarzy, oparty łokciami o kabinę radiotelegrafisty.

Zapewne następca tego, który dopiero co strzelił sobie w brzuch. Palił papierosa małymi, nerwowymi sztachami.

Przyjechał z Paryża, ze szkoły. Był poruszony. Pewnie marzył o przygodach.

Maigret nie odchodził. Trzymało go tu uczucie, że tajemnica leży tuż obok, w zasięgu ręki, że trzeba tylko wykonać wysiłek...

Nagle odwrócił się, ponieważ poczuł za plecami czyjąś obecność. W ciemności zamajaczyła czerwona bluza z czarną opaską.

Mężczyzna go nie widział, albo raczej nie zwracał na niego uwagi. Szedł aż na koniec nabrzeża i tylko cudem nie poleciał w pustkę.

Komisarz widział jedynie plecy. Miał wrażenie, że ogarnięty szaleństwem pijak rzuci się na pokład trałowca.

Ale nie! Mówił sam do siebie. Śmiał się. Unosił pięść.

Później splunął na statek, raz, drugi i trzeci. Pluł, żeby wyrazić niesmak.

Potem, zapewne z poczuciem ulgi, odszedł, ale nie w stronę domu, który znajdował się w rybackiej dzielnicy, ale do dolnej części miasta, gdzie mogła być jeszcze czynna tawerna.

Rozdział IX

Dwaj mężczyźni na pokładzie

Od strony falezy dobiegł go wysoki dźwięk. To zegar od benedyktynek wydzwaniał pierwszą.

Maigret szedł w kierunku hotelu de la Plage z rękoma założonymi do tyłu, ale coraz to zwalniał, w końcu stanął w połowie nabrzeża.

Przed nim był hotel, pokój, łóżko, spokojna i bezpieczna przystań.

Za nim... Odwrócił się. W zapalonych światłach zobaczył dymiące spokojnie kominy trałowca. Fécamp było pogrążone we śnie. Pośrodku basenu lśniła duża kałuża księżyca. Od wody niczym oddech morza nadchodziła niemal lodowata bryza.

Wtedy Maigret, jakby wbrew sobie, zawrócił. Znowu przełożył nogi nad zaknagowanymi cumami, stanął na nabrzeżu i utkwił wzrok w „Oceanie".

Miał zwężone oczy, groźne usta, pięści wbite głęboko w kieszenie.

Był jak odludek, niezadowolony, zamknięty w sobie, zacięty, który nie dba o to, że się ośmieszy.

Poziom wody był niski. Pokład trałowca znajdował się teraz cztery czy pięć metrów poniżej poziomu ziemi. Ale z brzegu na pokład przerzucona była kładka. Cienka i wąska.

Szum fal narastał. Nadchodził przypływ, spieniona woda zaczęła przesuwać kamienie na plaży.

Maigret wszedł na deskę. Kiedy stanął pośrodku, wygięła się w łuk. Podeszwy zgrzytały na metalowym pokładzie. Ale nie poszedł dalej. Opadł na ławkę wachtowego, naprzeciwko koła sterowego, na którego kompasie wisiały duże rękawice kapitana Falluta.

Tak samo warują przed norą, w której coś zwęszyły, posępne i zawzięte psy.

Nie chodziło już o list Jorissena, jego przyjaźń dla Le Clinche'a czy starania Marie Léonnec. Teraz była to już sprawa osobista.

Maigret wyobraził sobie postać kapitana Falluta. Poznał radiotelegrafistę, Adèle, głównego mechanika. Usilnie starał się wczuć w życie na trałowcu.

To jednak nie wystarczyło, coś mu umknęło, miał wrażenie, że rozumie wszystko z wyjątkiem samej istoty dramatu.

Fécamp spało. Na pokładzie spali marynarze. Komisarz całym ciężarem opadł na ławkę, miał zaokrąglone plecy, łokcie oparł na rozchylonych nogach.

Tu i ówdzie wyławiał wzrokiem jakiś szczegół: jak duże, zdeformowane rękawice, które Fallut zakładał podczas wacht i tu je zostawił...

Obracając się lekko do tyłu, widział rufówkę. Przed sobą miał cały pokład, przedni mostek, a tuż obok kabinę radiotelegrafisty.

Woda chlupała. Para unosiła się ledwo dostrzegalnym ruchem. Teraz, kiedy zapłonęły światła, kiedy woda wypełniła kotły, statek w porównaniu z wczorajszym dniem nabrał życia.

Czy to nie Mały Lolo spał w dole, przy stercie węgla?

Po prawej latarnia morska. Na końcu pomostu zielone światło, na końcu drugiego pomostu czerwone. I morze: wielka czarna otchłań wydzielająca silny zapach.

Maigret przyglądał się i rozważał wszystko powoli, starając się ożywić otoczenie, poczuć je. Stopniowo osiągnął stan podniecenia.

– Tamta noc była podobna, ale chłodniejsza, bo wiosna dopiero co się zaczynała...

Trałowiec cumował w tym samym miejscu. Sieć dymu nad kominem. Kilku śpiących mężczyzn.

Pierre Le Clinche jadł kolację w Quimper, u narzeczonej. W rodzinnej atmosferze. Marie Léonnec odprowadziła go pewnie do drzwi, żeby go pocałować bez świadków.

Jechał całą noc w trzeciej klasie. Miał wrócić za trzy miesiące. Znowu się z nią spotkać. Potem kolejny rejs i zimą, koło Bożego Narodzenia, ślub...

Nie spał. Jego walizka spoczywała na siatce. Były w niej zapasy robione przez mamę.

O tej samej godzinie kapitan Fallut wyszedł z niewielkiego domu przy ulicy d'Etretat, gdzie spała pani Bernard.

Musiał być bardzo zdenerwowany i niespokojny, męczyły go wyrzuty sumienia. Czyż nie obowiązywało go milczące postanowienie, że któregoś dnia ożeni się ze swoją gospodynią?

Całą zimę, nawet kilka razy w tygodniu, jeździł jednak do Hawru na potkanie z inną kobietą! Z kobietą, z którą nie miał odwagi pokazać się w Fécamp! Ze swoją utrzymanką! Młodą, ładną, ponętną, której wulgarność dodawała pikanterii.

Mężczyzna stateczny, zdyscyplinowany, skrupulatny. Wcielenie uczciwości, którego armatorzy dawali za przykład i którego dziennik pokładowy stanowił prawdziwy majstersztyk dokładności.

Szedł uśpionymi uliczkami w kierunku dworca, gdzie wysiadała Adèle. Może się jeszcze wahał?

To jednak trzy miesiące! Czy spotka ją znowu po powrocie? Czy nie jest zbyt temperamentna, zbyt spragniona życia, żeby go zwieść?

To zupełnie inna kobieta niż pani Bernard! Życie nie upływa jej na urządzaniu domu, pucowaniu garnków i parkietów, na snuciu projektów na przyszłość...

Nie! Chował pod powiekami obrazy, od których się czerwienił, tracił dech w piersiach.

Przyszła! Śmiała się swoim wysokim śmiechem, niemal tak zmysłowym jak jej ciało! Bawiło ją, że będzie płynąć ukryta na pokładzie, przeżyje przygodę.

Czy jednak nie powinien był jej uprzedzić, że ta przygoda nie będzie zabawna? Wręcz przeciwnie, że trzymiesięczna podróż w zamkniętej kabinie będzie dla niej mordęgą?

Obiecywał to sobie. Nie miał odwagi! Kiedy tam była, kiedy jej pełne piersi unosiły się od śmiechu, nie potrafił nic rozsądnego powiedzieć.

– Czy tej nocy ukryjesz mnie na pokładzie?

Szli. W kawiarniach, także w „Rendez-vous des Terre-Neuvas", rybacy świętowali, wydając zaliczkę, którą dostali po południu.

Kapitan Fallut, szczupły, czyściutki, stawał się coraz bledszy, im bliżej było do portu, do statku... Zobaczył komin... Poczuł suchość w gardle... Czy nie było za wcześnie?

Ale Adèle uwiesiła się na jego ramieniu. Czuł ją u swego boku, ciepłą, drżącą.

Maigret wyobrażał ich sobie, zwrócony w stronę nabrzeża, na którym nikogo nie było.

– To twój statek? Jak śmierdzi. Mam przejść po tej kładce?

Przeszli. Kapitan Fallut, niespokojny, nakazał milczenie.

– Czy to za pomocą tego koła kieruje się statkiem?

– Cii!

Zeszli metalowymi schodami. Byli na pokładzie. Weszli do kabiny kapitana. Zamknęli drzwi.

– Tak, tak było! – mruknął Maigret. – Są tu oboje. Pierwsza noc na pokładzie.

Chciał rozerwać zasłonę nocy, zobaczyć blade niebo o świcie, sylwetki zataczających się, ociężałych od alkoholu marynarzy, wracających na pokład trałowca.

Główny mechanik dotarł z Yport pierwszym porannym pociągiem. Drugi oficer przyjechał z Paryża. Le Clinche z Quimper.

Ludzie uwijali się na pokładzie, kłócili się o koje na przednim mostku, śmiali się, przebierali i znowu pojawiali się usztywnieni w nieprzemakalnych ubraniach.

Był tam chłopak okrętowy, Jean-Marie. Ojciec przyprowadził go za rękę, a marynarze popychali, wyśmiewając się z jego za dużych butów i zawsze gotowych do płaczu oczu.

Kapitan cały czas był u siebie. W końcu otworzył kabinę. Starannie zamknął za sobą drzwi. Był chudy, blady, miał wyostrzone rysy.

– Pan jest radiotelegrafistą? Dobrze, zaraz dam panu instrukcje. Tymczasem proszę obejrzeć stanowisko pracy.

Mijały godziny. Na nabrzeżu zjawił się armator. Żony i matki przynosiły jeszcze paczki dla odpływających.

Fallut drżał na myśl o kabinie. Za wszelką cenę nie mógł dopuścić, by ktoś otworzył drzwi, ponieważ na łóżku spała z półotwartymi ustami roznegliżowana Adèle.

Nie tylko Fallut odczuwał lekki poranny niesmak, ale także ci, którzy obeszli miejscowe bistra i ci, którzy przyjechali pociągiem.

Po kolei wchodzili do „Rendez-vous des Terre-Neuvas" i wypijali kawę z prądem.

– Do zobaczenia! Jeśli wrócimy!...

Rozległ się dźwięk syreny. I dwa następne. Kobiety i dzieci po ostatnich uściskach pospieszyły na pomost. Armator podał dłoń Fallutowi.

Zwolniono cumy. Trałowiec ślizgiem oddalał się od nabrzeża. Wtedy przerażony Jean-Marie zaczął szlochać, tupać, chciał biec na ląd...

Fallut stał w tym samym miejscu co Maigret.

– Pół!... Sto pięćdziesiąt obrotów! Cała naprzód!

Czy Adèle nadal spała? Czy nie wystraszy się kołysania?

Fallut nie ruszył się z miejsca, które zajmował od tylu lat. Przed nim rozciągał się ocean, Atlantyk...

Miał napięte nerwy, gdyż zdał sobie sprawę z głupstwa, które popełnił. Na lądzie sytuacja nie wydawała mu się tak poważna.

– Dwie czwarte na lewą burtę...

Wtedy rozległy się krzyki, grupka osób stojących na pomoście pobiegła naprzód. Mężczyzna, który wspiął się na bom, żeby się pożegnać z rodziną, spadł na pokład.

– Zatrzymać! Cofnąć! Stop!

W kabinie panował spokój. Był jeszcze czas, żeby wysadzić kobietę na ląd.

Podpłynęły szalupy. Statek zatrzymał się między pomostami. Jedna z łodzi rybackich prosiła o przejazd.

Ale mężczyzna był ranny. Musiał zostać. Został wysadzony do łodzi rybackiej.

Kobiety były wstrząśnięte, uważały, że to zły znak. Na domiar złego chłopak okrętowy tak bardzo się bał, że trzeba go był powstrzymać, by nie skoczył do wody.

– Naprzód! Pół! Cała!

Le Clinche zajął swoje miejsce, w hełmie na głowie sprawdzał sprzęt. Pośród tych wszystkich klamotów pisał:

„Moja ukochana narzeczono,

Ósma rano! Odpływamy... Nie widać już miasta i..."

Maigret zapalił kolejną fajkę i wstał, żeby lepiej widzieć otoczenie.

Ci wszyscy ludzie należeli teraz do niego. Ogarniając wzrokiem statek, w pewien sposób nimi sterował.

– Pierwszy obiad w ciasnej kabinie przeznaczonej dla oficerów: Fallut, drugi oficer, główny mechanik i radiotelegrafista. Kapitan zapowiada, że będzie jadał sam, w swojej kabinie. Tego jeszcze nie było! Dziwaczny pomysł! Wszyscy starają się dociec powodu. Na próżno.

Maigret z czołem ukrytym w dłoniach mruknął:

– Chłopak okrętowy ma obowiązek zanosić jedzenie kapitanowi... Fallut tylko uchyla drzwi lub chowa Adèle pod łóżko, które podnosi...

We dwójkę jedzą tylko jedną porcję! Za pierwszym razem kobieta się śmieje, a Fallut oddaje jej pewnie prawie cały przydział.

Jest zbyt poważny. Ona z niego drwi. Pieści go... On ulega... Uśmiecha się...

Czy już wtedy na pokładzie mówią o złym oku? Czy komentują decyzję kapitana, by jeść w samotności? Poza tym nigdy nie widzieli, by jakiś kapitan nosił klucz do kabiny w kieszeni!

Kręcą się obie śruby napędowe. Mały Lolo przez osiem, dziesięć godzin dziennie wrzuca węgiel do ognistej paszczy lub nadzoruje sennie ciśnienie oleju.

– Trzy dni. Tak mówią wszyscy. Po trzech dniach ludzi ogarnął niepokój. Zastanawiali się odtąd, czy Fallut nie jest szalony.

Dlaczego? Przez zazdrość? Przecież Adèle stwierdziła, że zobaczyła Le Clinche'a dopiero na czwarty dzień...

Aż do tej pory jest zbyt zajęty nową aparaturą. Z radością odbiera wiadomości. Próbuje przekazać własne. Nie zdejmując hełmu, zapisuje kolejne stronice, jakby poczta miała je wkrótce dostarczyć jego narzeczonej.

Trzy dni... Zaledwie mieli czas, by się poznać. Być może główny mechanik, przyklejając twarz do bulajów, zauważył młodą kobietę? Ale nic o tym nie powiedział!

Na statku atmosfera tworzy się powoli, w miarę jak ludzie zbliżają się do siebie po wspólnych przeżyciach. Ale tu jeszcze nie ma żadnych przeżyć! Nawet nie łowią! Muszą czekać jeszcze dziesięć dni, aż dopłyną do Wielkiej Ławicy u wybrzeży Nowej Fundlandii, po drugiej stronie Atlantyku.

Maigret stał na mostku kapitańskim i ktoś, kto by się obudził, mógłby się zastanawiać, co tam robi ten potężny, samotny mężczyzna, rozglądając się powoli wokół siebie.

Co robił? Starał się zrozumieć! Wszystkie osoby znalazły się na swoim miejscu, miały własną mentalność i zajęcia.

Ale od tego momentu nie można już było zgadywać. Była tylko wielka luka. Komisarz mógł jedynie przypominać sobie zeznania.

– To właśnie około trzeciego dnia kapitan Fallut i radiotelegrafista zaczęli patrzeć na siebie jak wrogowie. Obaj nosili rewolwery. Wydawało się, że się siebie boją...

A przecież Le Clinche nie był jeszcze kochankiem Adèle!

„Od tamtej pory kapitan zachowywał się jak wariat..."

Byli wtedy na pełnym Atlantyku. Zeszli z trasy statków pasażerskich. Z rzadka będą mijać angielskie lub niemieckie trałowce płynące na swoje łowiska.

Czy Adèle się niecierpliwi, czy skarży się na życie w zamknięciu?

„jak wariat..."

Wszyscy zgodnie używają tych słów. Wydaje się, że sama Adèle to za mało, by spowodować taką zmianę u zrównoważonego mężczyzny, który przez całe życie wyznawał religię rozkazu i porządku.

Nie oszukała go! Zachowując wszelkie środki ostrożności, dwa lub trzy razy zezwolił jej na nocne spacery po pokładzie.

W takim razie dlaczego zachowywał się jak wariat?

Oto kolejne zeznania:

„Wydał rozkaz zrzucenia trału w miejscu, gdzie nigdy, jak sięgnąć pamięcią, nie łowiono dorsza...".

To nie nerwus ani zapaleniec czy choleryk! To pedantyczny mieszczuch, który przez moment marzył o wspólnym życiu ze swoją gospodynią, panią Bernard, i o dokonaniu żywota w pełnym haftowanych robótek domu przy ulicy d'Etretat.

„Wypadki następowały jeden po drugim... Kiedy znaleźliśmy się w końcu na łowisku i wyciągnęliśmy rybę, tak posolono ładunek, że musiał się zmarnować...".

Fallut to nie żółtodziób! Niedługo przejdzie na emeryturę! Do tej pory nikt nie miał mu nic do zarzucenia!

Nadal jada w swojej kabinie.

„Gniewał się na mnie, powie Adèle. Całymi dniami lub tygodniami nie odzywał się do mnie słowem... Potem nagle zaczynał..."

Wybuch zmysłowości! Ona tam jest, u niego! Dzieli z nią łóżko! Tygodniami udaje mu się zachowywać urazę, aż pokusa staje się zbyt silna!

Czy zachowywałby się tak samo, gdyby chodziło tylko o zazdrość?

Główny mechanik krąży wokół kabiny. Ale nie ma odwagi, by sforsować zamek.

W końcu następuje epilog: „Ocean" wraca do Francji z ładunkiem źle zakonserwowanych ryb.

Czy to nie w drodze kapitan sporządza coś w rodzaju testamentu, w którym oznajmia, że nie należy nikogo oskarżać o jego śmierć?

A więc chce umrzeć! Chce się zabić! Na pokładzie nikt oprócz niego nie zna się na nawigacji, a on dostatecznie przesiąkł morskim duchem, by najpierw doprowadzić statek do portu.

Chce się zabić, ponieważ złamał regulamin, zabierając ze sobą kobietę? Czy dlatego, że za mało posolony ładunek ryb zostanie sprzedany o kilka franków poniżej ceny?

A może dlatego, że załoga, zaskoczona jego dziwacznym zachowaniem, uważa go za wariata?

Czy to pasuje do najbardziej surowego i pedantycznego kapitana w Fécamp? Tego, którego dzienniki pokładowe cytowane są jako przykład?

Tego, który od dawna żyje w zacisznym domu pani Bernard?

Parowiec przybija do brzegu. Załoga wyskakuje na ląd i spieszy do „Rendez-vous des Terre-Neuvas", gdzie można napić się wreszcie alkoholu.

I wszyscy są jakby naznaczeni pieczęcią tajemnicy! Wszyscy milczą o pewnych sprawach! Wszyscy są niespokojni!

Czy dlatego, że kapitan zachowywał się w sposób trudny do wyjaśnienia?

Fallut schodzi na ląd sam. Żeby sprowadzić Adèle, będzie musiał czekać, aż nabrzeże opustoszeje.

Robi kilka kroków. W ukryciu siedzi dwóch mężczyzn: radiotelegrafista i Gaston Buzier, kochanek dziewczyny.

A mimo to ktoś trzeci rzuca się na kapitana, dusi go i spycha do basenu.

Wszystko to wydarzyło się w tym samym miejscu, gdzie teraz kołysał się na czarnej wodzie „Ocean". Ciało zaczepiło się o łańcuch kotwiczny...

Maigret palił zasępiony.

Od pierwszego przesłuchania Le Clinche kłamie, mówiąc o mężczyźnie w żółtych butach, który zabił Falluta. Mężczyzna w żółtych butach to Buzier. Ale podczas konfrontacji Le Clinche wycofuje zeznania.

Czy kłamie, by ratować kogoś trzeciego, kogoś, kto jest mordercą? Dlaczego Le Clinche nie zdradza jego nazwiska?

Przeciwnie! Pozwala się zamknąć w więzieniu, zamiast niego! Słabo się broni, chociaż grozi mu, że zostanie skazany!

Jest posępny jak człowiek targany wyrzutami sumienia. Nie śmie patrzeć w oczy ani narzeczonej, ani Maigretowi...

I jeden mały szczegół: zanim wrócił na trałowiec, poszedł do „Rendez-vous des Terre-Neuvas". Wszedł do swego pokoju... Spalił jakieś papiery...

Po wyjściu z więzienia nie cieszy się, gdy Marie Léonnec nakłania go, by był dobrej myśli. Jakimś sposobem zdobywa rewolwer...

Boi się... Waha... Przez długi czas pozostaje z zamkniętymi oczami i z palcem na cynglu.

Strzela.

Wraz z upływem nocy powietrze stawało się coraz chłodniejsze, a wiatr niósł zapach roślinności i jodu.

Trałowiec podniósł się o kilka metrów. Pokład znajdował się na poziomie nabrzeża. Fale przypływu powodowały boczne kołysanie, co wywoływało szczękanie trapu.

Maigret zapomniał o zmęczeniu. Najgorsza godzina minęła. Dzień był już blisko.

Sporządził bilans:

Kapitan Fallut – nie żyje, odczepiony od łańcucha kotwicznego.

Adèle i Gaston Buzier – pokłócili się, nie są w stanie być razem, nie mają jednak innej przystani.

Le Clinche – w ciężkim stanie opuścił salę operacyjną.

I Marie Léonnec...

I ci mężczyźni, którzy w „Rendez-vous des Terre-Neuvas" nawet po alkoholu zachowali przerażające wspomnienie...

– Trzeci dzień – powiedział głośno Maigret. – W tym dniu trzeba szukać! To coś gorszego niż zazdrość... Coś, co jednak wynikało bezpośrednio z obecności Adèle na pokładzie....

Wysiłek sprawiał mu ból. Wytężył siły. Statek nieznacznie drżał. Na przednim mostku, gdzie mieli wstać marynarze, zapalono światło.

– Trzeci dzień...

Wtedy poczuł ucisk w gardle. Spojrzał na rufówkę, później na nabrzeże, gdzie przed chwilą jakiś mężczyzna wychylał się, pokazując pięść.

Może było to częściowo spowodowane chłodem? Dreszcz zawsze zmuszał go do działania.

– Trzeci dzień... Chłopak okrętowy... Jean-Marie. Ten, który tupał i nie chciał płynąć... nocą fala zmyła go z pokładu...

Maigret ogarnął wzrokiem cały pokład. Wydawało się, że szuka miejsca, gdzie mogła nastąpić katastrofa.

– Było tylko dwóch świadków. Kapitan Fallut i radiotelegrafista Pierre Le Clinche. Nazajutrz lub dwa dni później Le Clinche został kochankiem Adèle...

To był wyraźny zwrot. Maigret nie zwlekał ani sekundy. Przez nikogo niezauważony pokonał drewnianą kładkę łączącą statek z lądem.

Z rękami w kieszeniach i nosem posiniałym z zimna poszedł w żałobnym nastroju do hotelu de la Plage.

Dzień jeszcze nie wstał, ale noc już dobiegała końca. Grzbiety fal odcinały się od wody ostrą bielą. Mewy na niebie wyglądały jak jasne plamy.

Gwizd pociągu ze stacji. Jakaś staruszka szła na kraby w stronę skał, z koszem na plecach i haczykiem w ręku.

Rozdział X

Co się zdarzyło trzeciego dnia

Kiedy Maigret zszedł około ósmej rano ze swego pokoju, czuł w głowie pustkę, a w piersiach niepokój jak po przepiciu.

– Nie idzie tak, jakbyś chciał? – zapytała żona.

Wzruszył ramionami, a ona nie nalegała. Ale na tarasie hotelu wychodzącym na zjadliwie zielone, spienione morze wpadł na Marie Léonnec. Dziewczyna nie była sama. Przy jej stoliku siedział jakiś mężczyzna. Pospiesznie wstała i wymamrotała pod adresem komisarza:

– Pozwoli pan, że przedstawię mojego ojca, właśnie przyjechał.

Wiał chłodny wiatr, niebo się zaciągnęło. Mewy latały tuż nad wodą.

– Jestem zaszczycony, panie komisarzu. Bardzo zaszczycony i bardzo szczęśliwy.

Maigret spojrzał na niego posępnie. Mężczyzna był niski, nie bardziej zabawny niż ktokolwiek inny, gdyby nie nieproporcjonalny nos, grubości dwóch lub trzech nosów, w dodatku nakrapiany jak truskawka.

Nie jego wina! Był to prawdziwy feler. Widziało się tylko ten nos, kiedy mówił, patrzyło się tylko na ten nos i z tej racji wszelkie podniosłe mowy były oczywiście nie dla niego.

– Zje pan z nami?

– Dziękuję, właśnie skończyłem śniadanie.

– No to może kieliszeczek na rozgrzewkę?...

– Naprawdę dziękuję.

Nalegał. Czyżby było wyrazem grzeczności zmuszać ludzi do picia wbrew ich woli?

Maigret obserwował go, obserwował jego córkę, która z wyjątkiem nosa, była do niego podobna. Patrząc tak na nią, można było przewidzieć, jak będzie wyglądać za dziesięć lat, kiedy zniknie urok młodości.

– Chciałbym przejść od razu do rzeczy, panie komisarzu. Taką mam dewizę! Dlatego jechałem całą noc. Kiedy Jorissen przyszedł do mnie i powiedział, że pojedzie z moją córką, zgodziłem się... Tak więc nie można powiedzieć, że nie jestem tolerancyjny.

Tylko że Maigret się spieszył. W dodatku jeszcze ten nos! I pewna emfaza drobnomieszczanina, który wsłuchuje się w swój głos.

– Mimo to moim obowiązkiem jako ojca jest zasięgnąć informacji, prawda?... Dlatego proszę, by mi pan powiedział, czy jest pan głęboko przekonany, że ten młody człowiek jest niewinny.

Marie Léonnec patrzyła w drugą stronę. Zapewne czuła zażenowanie, że interwencja jej ojca nie doprowadzi do załatwienia sprawy.

Sama, przyjeżdżając na pomoc narzeczonemu, miała pewien prestiż. Przynajmniej była wzruszająca.

Z rodziną to co innego. Za bardzo wyczuwało się butik w Quimper, kłótnie poprzedzające wyjazd, ujadanie sąsiadów.

– Pyta pan, czy zabił kapitana Falluta?

– Tak. Musi pan zrozumieć, że najważniejsze, by...

Maigret patrzył przed siebie z całkowicie obojętnym wyrazem twarzy.

– No cóż...

Widział, że ręce dziewczyny drżą.

– Nie zabił go. Pan pozwoli? Mam coś pilnego do zrobienia. Z prawdziwą przyjemnością spotkam się z panem później.

Uciekł! Aż przewrócił stolik na tarasie. Domyślał się, że jego rozmówcy są kompletnie zaskoczeni, ale nie wrócił, żeby ich uspokoić.

Na nabrzeżu szedł chodnikiem, z dala od „Oceanu". Mimo to zauważył, że członkowie załogi z workami żeglarskimi na ramionach właśnie przyszli i zapoznawali się ze statkiem. Z wózka wyładowywano worki z ziemniakami. Był tam armator w wypastowanych butach i z ołówkiem za uchem.

Przez otwarte drzwi „Rendez-vous des Terre-Neuvas" słychać było wrzawę. Maigret ledwie dostrzegł Małego Lolo, który przemawiał otoczony wianuszkiem nowicjuszy.

Nie zatrzymał się. Przyspieszył kroku, widząc patrona, który dawał mu znaki. Pięć minut później dzwonił do drzwi szpitala.

Asystent był bardzo młody. Spod kitla wyzierał modny garnitur i wyszukany krawat.

– Chodzi o tego radiotelegrafistę? To ja mierzyłem mu dziś rano temperaturę i badałem puls... Czuje się tak dobrze, jak to możliwe...

– Czy jest przytomny?

– Tak myślę. Nic nie powiedział, ale cały czas wodził za mną wzrokiem.

– Czy można z nim rozmawiać o poważnych sprawach?

Asystent wykonał nieokreślony, obojętny gest.

– Dlaczego nie? Skoro operacja się udała i nie ma gorączki... Pan chce się z nim zobaczyć?

Pierre Le Clinche leżał sam w niedużej sali pomalowanej farbą olejną, w której panowało wilgotne ciepło. Patrzył na podchodzącego Maigreta, jego źrenice były przytomne, wolne od niepokoju.

– Widzi pan, że nie można było zrobić lepiej. Za tydzień stanie na nogi. Może natomiast utykać, bo ścięgno uda zostało zerwane. Będzie musiał uważać. Woli pan, żebym zostawił was samych?

Maigret niepokoił się. Wczoraj przywieźli prawdziwy wrak, zakrwawiony, brudny. Można było sądzić, że nie ma już w nim tchnienia życia.

Zastał białe łóżko, twarz trochę zmęczoną, nieco bladą, ale spokojną jak nigdy dotąd. W jego oczach zobaczył niemal spokój.

Może dlatego się zawahał. Chodził po pokoju, przykładał czoło do podwójnego okna, skąd widział port, gdzie uwijali się ludzie w czerwonych bluzach.

– Czy czuje się pan na siłach, by rozmawiać? – mruknął nagle, odwracając się w stronę łóżka.

Le Clinche lekko skinął głową.

– Pan wie, że nie jestem oficjalnie zaangażowany w tę sprawę? Mój przyjaciel Jorissen poprosił, żebym dowiódł pańskiej niewinności. Zrobiłem to, nie zabił pan kapitana Falluta.

Westchnął głęboko. Następnie, żeby już skończyć, podjął temat.

– Proszę mi powiedzieć prawdę o wydarzeniach, do których doszło trzeciego dnia, to znaczy o śmierci Jeana-Marie.

Starał się nie patrzeć rannemu w twarz. Nabijał fajkę, dla niepoznaki, a ponieważ cisza przedłużała się, szepnął:

– Był wieczór. Na pokładzie tylko pan i kapitan Fallut. Byliście razem?

– Nie!

– Kapitan spacerował w pobliżu rufówki?

– Tak... Wyszedłem ze swojej kabiny. Nie widział mnie. Obserwowałem go, bo wyczułem w jego zachowaniu coś dziwnego...

– Nie wiedział pan jeszcze, że na pokładzie jest kobieta?

– Nie! Sądziłem raczej, że jeśli tak starannie zamyka drzwi, to ma w kabinie jakieś towary z przemytu.

Miał zmęczony głos. Mimo to głośno powiedział:

– To najstraszniejsza rzecz, o jakiej wiem, panie komisarzu... Kto wygadał? Powie mi pan?

Zamknął oczy, jak wtedy, kiedy czekał, żeby strzelić sobie w brzuch z rewolweru ukrytego w kieszeni.

– Nikt... Kapitan przechadzał się nerwowo, zapewne był taki, jak tylko wypłynęliście w morze. Ale ktoś był za sterem?

– Sternik! Nie mógł nas widzieć, bo było ciemno...

– Zjawił się chłopak okrętowy...

Le Clinche przerwał i podniósł się do półsiadu, łapiąc rękami za specjalne linki zwisające z sufitu.

– Gdzie Marie?

– W hotelu. Przyjechał jej ojciec.

– Żeby ją zabrać! Tak! Dobrze!... Niech ją zabierze... A zwłaszcza niech nie przychodzi tutaj.

Był podniecony. Jego głos zrobił się bardziej matowy, mówił z przerwami.

Czuło się, że rośnie mu temperatura. Oczy zaczęły mu błyszczeć.

– Nie wiem, kto panu powiedział... Ale teraz muszę wyznać wszystko...

Ożywił się tak bardzo i tak gwałtownie, że wydawało się, że majaczy.

– To niebywałe... Pan nie znał tego chłopaka. Był taki szczupły! Do tego w garniturze uszytym ze starego płóciennego ubrania ojca... Pierwszego dnia się bał, płakał... Jak to panu powiedzieć?... Później mścił się, robiąc świństwa. Czy to nie typowe w jego wieku?... Wie pan, co znaczy „wstrętny dzieciak"? Taki właśnie był... Dwa razy nakryłem go, jak czytał moje listy do narzeczonej. Zapytał bezczelnie: „To do twojej cizi?". Tamtego wieczoru... Myślę, że kapitan przechadzał się po pokładzie, bo był zbyt zdenerwowany, żeby zasnąć... Mocno huśtało. Od czasu do czasu woda przelewała się ponad relingami i obmywała metalowy pokład. Mimo że nie było burzy... Dzieliło nas jakieś dziesięć metrów.

111

Usłyszałem tylko kilka słów, ale widziałem sylwetki... Chłopak stał w agresywnej postawie i śmiał się. Szyję kapitana usztywniała bluza, ręce trzymał w kieszeniach... Jean-Marie mówił mi o „mojej cizi"... Tak samo musiał żartować z kapitanem. Miał ostry głos. Pamiętam, co usłyszałem: „A jeśli powiem wszystkim, że...". Dopiero później zrozumiałem... Odkrył, że kapitan ukrywa w kabinie kobietę. Był z tego bardzo dumny, puszył się. Był niegodziwy, choć nie wiedział o tym. Wtedy to się stało... Kapitan chciał go spoliczkować. Dzieciak zwinnie uniknął ciosu, coś krzyknął, pewnie znowu zagroził, że powie... Fallut nadział się ręką na wantę. Musiał się skaleczyć. Wpadł we wściekłość. Jak w bajce o lwie i muszce... Zapomniał o całej godności. Pobiegł za chłopakiem. Tamten na początku uciekał ze śmiechem, ale potem wpadł w panikę. Wystarczył przypadek i ktokolwiek mógł usłyszeć, dowiedzieć się o wszystkim... Fallut szalał ze strachu. Widziałem, że chciał schwycić Jeana-Marie za ramiona, ale zamiast go złapać, popchnął go do przodu... To wszystko. Fatalny zbieg okoliczności... Uderzył głową w kabestan. Usłyszałem przerażający, głuchy dźwięk... Czaszka...

Przesunął dłońmi po twarzy. Był szary. Po czole ściekał mu pot.

– W tym momencie pokład obmyła fala... Kapitan pochylił się nad zupełnie mokrym ciałem... Wtedy mnie dostrzegł... Pewnie zapomniałem się schować. Postąpiłem kilka kroków naprzód. Widziałem, jak ciało chłopaka się kuli, potem sztywnieje w ruchu, którego nigdy nie zapomnę... Umarł... Głupio... A my patrzyliśmy, nie rozumiejąc, nie pojmując tej strasznej prawdy... Nikt niczego nie widział ani nie słyszał. Fallut nie odważył się dotknąć dzieciaka. Ja pomacałem klatkę piersiową, ręce, pękniętą głowę. Nie było krwi... Ani rany... Czaszka pękła... Staliśmy tam może z kwadrans, nie wiedząc, co robić, zrozpaczeni, ze zlodowaciałymi ramionami, bryzgi wody sięgały naszych twarzy... Kapitan nie był już tym samym człowiekiem. Powiedział, że w nim też coś pękło... Mówił głosem oschłym, pozbawionym ciepła. „Załoga nie może poznać prawdy! Chodzi o dyscyplinę!". To on podniósł chłopaka. Pozostał tylko jeden gest... Pamiętam, że kciukiem nakreślił na czole znak krzyża. Ciało, które zabrało morze, dwukrotnie uderzyło o kadłub statku. Nadal staliśmy w ciemnościach. Nie mieliśmy odwagi spojrzeć na siebie. Nie mieliśmy odwagi rozmawiać.

Maigret zapalił fajkę, mocno ścisnął w zębach cybuch.

Weszła pielęgniarka. Mężczyźni popatrzyli na nią tak nieobecnym wzrokiem, że zakłopotana wykrztusiła:

– Mierzenie temperatury... Zaraz wrócę!

Kiedy drzwi się zamknęły, komisarz szepnął:

– To wtedy powiedział panu o kochance?

– Od tej chwili już nigdy nie był taki sam. Szczerze mówiąc, nie musiał być szalony... Ale coś się popsuło... Najpierw dotknął mojego ramienia. Mruknął: „To przez kobietę, młody człowieku...". Było mi zimno. Byłem rozgorączkowany. Nie mogłem przestać wpatrywać się w miejsce, w którym zniknęło ciało... Mówiono panu o kapitanie? Był niski i suchy, miał energiczną twarz. Mówił zwykle krótkimi, urywanymi zdaniami: „Proszę!... Pięćdziesiąt pięć lat... Zaraz emerytura... Solidna reputacja... Jakieś oszczędności... Koniec! Stracone! W ciągu minuty! Nawet nie... Przez dzieciaka, który... Albo raczej przez dziewczynę...". Tej nocy, głuchym i szorstkim głosem, wszystko mi opowiedział. Kobieta z Hawru, nie była zbyt wiele warta, z czego zdawał sobie sprawę... Ale nie mógł się już bez niej obejść. Zabrał ją... Czuł wtedy, że jej obecność spowoduje dramat. Była tam... Spała...

Radiotelegrafista poruszył się.

– Nie wiem wszystkiego, co mi opowiedział. Czuł potrzebę mówienia o niej. Z nienawiścią i namiętnością zarazem... „Kapitan nie ma prawa wywoływać skandalu, który mógłby zniszczyć jego autorytet...". Nadal słyszę te słowa. To był mój pierwszy rejs. Traktowałem morze jak potwora, który nas wszystkich pożre. Fallut podawał przykłady... Któregoś roku pewien kapitan zabrał ze sobą kochankę... Na pokładzie wybuchła taka bójka, że trzech ludzi nie wróciło.

Wiał wiatr, przynosząc raz za razem wodny pył... Czasem jakaś fala lizała nasze stopy ślizgające się na tłustym, metalowym pokładzie... On nie był szalony, na pewno nie! Ale nie był już tym samym człowiekiem... „Tylko zakończyć rejs! Potem zobaczymy...". Nie rozumiałem, co chciał przez to powiedzieć. Wydawał mi się godny szacunku i jednocześnie nieprzewidywalny, przywiązany do poczucia obowiązku. „Nie mogą się dowiedzieć... Kapitan nie może się mylić...". Byłem chory ze zdenerwowania. Nie mogłem myśleć. Myśli plątały mi się w głowie, aż wreszcie przeżyłem koszmar na jawie... Ta kobieta w kabinie, ta kobieta, bez której taki mężczyzna jak kapitan nie mógł się obejść. Na dźwięk jej imienia zaczynał szybciej oddychać... Pisałem listy do narzeczonej, ale rozstałem się z nią na trzy miesiące. Nie znałem takich uniesień... A kiedy mówił „jej ciało" lub „jej skóra"... czerwieniłem się, nie wiedząc, dlaczego...

Maigret zapytał powoli:

– Nikt oprócz was nie poznał prawdy o śmierci Jeana-Marie?

– Nikt!

– Zgodnie z tradycją, to kapitan odmówił modlitwę za zmarłych?

– O świcie... Była mgła... Wśliznęliśmy się w lodowatą szarówkę...

– Załoga nic nie powiedziała?

– Były dziwne spojrzenia, szepty... Ale Fallut był bardziej zdecydowany niż zwykle, a jego głos stał się ostrzejszy. Nie znosił najmniejszego sprzeciwu. Gniewał się o jedno spojrzenie, które mu się nie podobało. Szpiegował ludzi, jakby chciał odgadnąć podejrzenia, które mogły się zrodzić w ich głowach...

– A pan?

Le Clinche nie odpowiedział. Wyciągnął rękę po szklankę z wodą stojącą na nocnym stoliku i wypił łapczywie.

– Znowu krążył pan wokół kabiny, mam rację? Chciał pan zobaczyć kobietę, która tak bardzo owładnęła kapitanem?. To było następnej nocy?

– Tak. Przez chwilę ją widziałem... Później, następnej nocy... Zauważyłem, że klucz od stanowiska radiotelegrafisty pasował do kabiny. Kapitan był na wachcie... Wszedłem jak złodziej...

– Został pan jej kochankiem?

Rysy radiotelegrafisty stężały.

– Przysięgam, pan tego nie zrozumie! Tamta atmosfera nie miała żadnego związku z normalną rzeczywistością. Ten chłopak... I ceremonia czuwania... Mimo to, kiedy o tym myślałem, zawsze powracał do mnie ten sam obraz: kobiety innej niż wszystkie, kobiety, której ciało, skóra mogły sprawić, że mężczyzna przestawał nad sobą panować...

– Sprowokowała pana?

– Leżała, półnaga...

Gwałtownie się zaczerwienił. Odwrócił głowę.

– Ile czasu spędził pan w kabinie?

– Chyba ze dwie godziny. Już nie pamiętam... Kiedy wyszedłem, z szumem w uszach, kapitan stał pod drzwiami. Nie odezwał się do mnie. Patrzył, jak przechodzę. Chciałem paść mu do nóg, wykrzyczeć, że to nie moja wina, prosić o wybaczenie... Ale jego twarz była jak z lodu. Szedłem. Dotarłem na swoje stanowisko. Bałem się. Od tego momentu zawsze miałem w kieszeni naładowany rewolwer, byłem przekonany, że mnie zabije... Nigdy nie odezwał się do mnie słowem, chyba że służbowo. Poza tym najczęściej kierował do mnie polecenia na piśmie. Chciałbym panu wyjaśnić... Ale nie jestem w stanie... Z każdym dniem było gorzej. Wydawało mi się, że wszyscy wiedzą, co się stało. Główny mechanik też krążył wokół kabiny. A kapitan siedział tam zamknięty, całymi godzinami... Ludzie patrzyli na nas pytającym wzrokiem, niepokoili się. Domyślali się, że coś się stało. Sto razy słyszałem, jak mówili o złym oku... A chciałem tylko...

– Oczywiście! – burknął Maigret.

Zapadła cisza. Le Clinche wpatrywał się w komisarza z wyrzutem.

– Przez kolejnych dziesięć dni była paskudna pogoda. Byłem chory... Ale myślałem o niej... Jej zapach... Ona... Nie umiem tego powiedzieć! Czułem ból! Tak! Przez to pragnienie cierpiałem i płakałem z wściekłości! Zwłaszcza kiedy widziałem, jak kapitan wchodzi do kabiny! Bo wtedy wyobrażałem sobie... Nazwała mnie swoim „dużym dzieciakiem"... Powiedziała to niezwykłym, chrapliwym głosem! A ja torturowałem się, powtarzając te dwa słowa... Nie pisałem już do Marie... Wznosiłem zamki z piasku, planowałem, że uciekniemy razem, jak tylko dobijemy do Fécamp.

– A kapitan?

– Był coraz bardziej nieprzyjemny, stanowczy... Być może, mimo wszystko, w jego wypadku było to szaleństwo. Nie wiem... Kazał gdzieś łowić, choć wszyscy starzy marynarze uważali, że w tych rejonach nigdy nie było ryb. Nie przyjmował sprzeciwu. Bał się mnie... Czy wiedział, że jestem uzbrojony? On także był... Kiedy się spotykaliśmy, trzymał rękę w kieszeni... Sto razy próbowałem zobaczyć się znowu z Adèle... Ale on zawsze tam był! Z podkrążonymi oczami i ściągniętymi wargami. I ten smród dorszy... Ludzie, którzy solili ryby w ładowniach... Wypadki, jeden po drugim... Główny mechanik też krążył. W ten sposób nikt nie rozmawiał ze sobą szczerze... Byliśmy jak opętani... Były noce, kiedy myślałem, że kogoś zabiję, żeby ją mieć... Czy pan to rozumie? Noce, kiedy darłem zębami chusteczkę, powtarzając na głos: „Mój duży dzieciak! Duży imbecyl!". To trwało tak długo! A po nocach przychodziły dni! I tylko ta szara woda wokół nas, zimne mgły, wszędzie łuski i wnętrzności dorszy... A w gardle obrzydliwy smak solanki... Tylko jeden raz! Myślałem, że gdybym mógł być z nią tylko jeden raz, byłbym uleczony! Ale to było niemożliwe... On tam był... Zawsze tam był i te jego oczy, coraz ciemniejsze... Ciągłe kołysanie i życie bez perspektywy... Później zobaczyliśmy stromy brzeg. Czy pan sobie wyobraża, że to trwało trzy miesiące? Cóż, zamiast poprawy było coraz gorzej... Dopiero teraz zdaję sobie sprawę, że to była choroba. Nienawidziłem kapitana, który ciągle stał mi na drodze. Bałem się tego człowieka, już starego, który chciał zamknąć taką kobietę jak Adèle. Bałem się wracać do portu. Bałem się, że ją stracę na zawsze... W końcu diabeł we mnie wstąpił! Tak! Jakiś zły duch, który trzymał tę kobietę tylko dla siebie... W porcie wykonaliśmy kilka nieprawidłowych manewrów... Ludzie z ulgą wyskoczyli na ląd, pobiegli do barów. Dobrze wiedziałem, że kapitan tylko czekał, żeby nocą wyprowadzić Adèle. Wróciłem do pokoju, do Léona... Były tam stare listy, portrety mojej narzeczonej, sam nie wiem, co jeszcze, wpadłem w furię i wszystko spaliłem. Wyszedłem... Pragnąłem jej! Powtarzam, pragnąłem jej! Czy nie powiedziała mi, że po powrocie Fallut się z nią ożeni? Wpadłem na jakiegoś mężczyznę...

Opadł ciężko na poduszkę, a na jego ściągniętej twarzy widać było straszliwy ból.

– Pan wie... – wycharczał.

– Tak... To był ojciec Jeana-Marie. Trałowiec stał przy nabrzeżu. Na pokładzie byli tylko kapitan i Adèle. Poszedł ją wypuścić. I wtedy...

– Niech pan nic nie mówi!

– Wtedy powiedział pan temu mężczyźnie, który przyszedł zobaczyć statek, gdzie zmarł jego syn, że chłopak został zamordowany... Mam rację? I poszedł pan za nim! Schował się pan za wagonem, kiedy tamten podszedł do kapitana...

– Niech pan przestanie!

– Morderstwo dokonało się na pańskich oczach.

– Błagam...

– Nie! Pan przy tym był! Wszedł pan na pokład! Wypuścił pan kobietę...

– Już jej nie chciałem...

Z zewnątrz usłyszeli syrenę. Wargi Le Clinche'a zadrżały, jęknął:

– „Ocean"...

– Tak. Odbija podczas przypływu...

Zamilkli. Słychać było szpitalne hałasy, także cichy odgłos łóżka jadącego w stronę sali operacyjnej.

– Już jej nie chciałem! – powtórzył konwulsyjnie radiotelegrafista.

– Tylko że było za późno.

Znowu cisza. Potem odezwał się Le Clinche:

– A jednak... teraz... tak chciałbym...

Nie miał odwagi wymówić słowa, które cisnęło mu się na usta.

– Żyć?

Odpowiedział:

– A więc pan nie rozumie? Byłem szalony... Sam siebie nie rozumiem... To się stało gdzieś w innym świecie. Wró-

ciłem tutaj i zdałem sobie sprawę... Boże! Tamta ciemna
kabina... Krążyliśmy wokół... Nie było nic, oprócz niej...
Wydaje mi się, jakby to było całe moje życie. Chciałem jeszcze raz usłyszeć te słowa „Mój chłopcze"... Nie umiałbym
nawet powiedzieć, jak to się stało... Otworzyłem drzwi.
Wyszła... Jakiś mężczyzna w żółtych butach czekał na nią
na brzegu i padli sobie w objęcia. Obudziłem się. To najwła-
ściwsze słowo... Od tej chwili chciałem żyć. Marie Léonnec
przyszła z panem... Adèle też przyszła w towarzystwie tego
mężczyzny... Co według pana powinienem powiedzieć? Za
późno, mam rację? Byłem wolny... Poszedłem na pokład po
rewolwer. Na nabrzeżu czekała Marie. Nie wiedziała...
A po południu ta kobieta mówiła... I ten mężczyzna w żółtych butach... Czy ktoś jest w stanie to wszystko zrozumieć? Strzeliłem... Płynęły minuty, a ja nie mogłem się zdecydować... Z powodu Marie Léonnec, która tam była!
A teraz...

Zaszlochał. I krzyknął:

– Powinienem umrzeć! Nie chcę umierać! Boję się śmierci... Ja... ja...

Jego ciałem wstrząsały konwulsje. Maigret wezwał pielę-
gniarkę. Uspokoiła go bez emocji, kilkoma precyzyjnymi ru-
chami, wypracowanymi w ciągu wielu lat praktyki.

Trałowiec po raz drugi odezwał się bolesnym wyciem syreny i kobiety pobiegły na molo.

Rozdział XI

„Ocean" wypływa w rejs

Maigret przyszedł na wybrzeże w chwili, kiedy nowy kapitan wydał rozkaz zwolnienia cum. Zauważył głównego me-

chanika, który żegnał się z żoną, podszedł i poprosił go na bok.

– Jedno pytanie... To pan znalazł testament kapitana i wrzucił do skrzynki pocztowej komisariatu, mam rację?

Tamten się zmieszał, zawahał.

– Proszę się nie obawiać. Pan podejrzewał Le Clinche'a... Myślał pan, że to by go mogło uratować. Poza tym kręciliście się wokół tej samej kobiety...

Syrena wściekle ponaglała spóźnialskich, na nabrzeżu wymieniano ostatnie uściski.

– Proszę mi o tym więcej nie mówić... Czy to prawda, że miał umrzeć?

– Chyba że by go uratowano... Gdzie był testament?

– Wśród papierów kapitana.

– A czego pan tam szukał?

– Miałem nadzieję, że znajdę fotografię... – powiedział, opuszczając głowę. – Pan pozwoli. Muszę...

Cumy wpadły do wody. Za chwilę mieli podnieść trap. Główny mechanik wskoczył na pokład, ostatni raz pomachał żonie i spojrzał na Maigreta.

Trałowiec powoli kierował się do wyjścia z portu. Jakiś mężczyzna trzymał na ramionach zaledwie piętnastoletniego chłopca okrętowego. Dzieciak zabrał mu fajkę i trzymał ją dumnie w zębach.

Kobiety na nabrzeżu płakały.

Idąc szybkim krokiem, odprowadzały statek, który przyspieszył dopiero wtedy, gdy minął pomosty. Ludzie wykrzykiwali polecenia.

– Jeśli zobaczysz „Atlantique", nie zapomnij powiedzieć Dugodetowi, że jego żona...

Niebo było nadal zachmurzone. Wiatr wiał teraz w przeciwną stronę, podnosząc drobne białe fale, które rozbijały się z gniewnym szumem.

Jakiś paryżanin we flanelowych spodniach fotografował ten moment. Towarzyszyły mu dwie roześmiane, ubrane na biało dziewczyny.

Maigret o mały włos przewróciłby kobietę, która uczepiwszy się jego ramienia, zapytała:

– I co? Już mu lepiej?

Adèle nie nałożyła pudru co najmniej od rana i teraz miała świecącą skórę.

– Gdzie Buzier? – zapytał komisarz.

– Wolał nawiać do Hawru. Boi się kłopotów. A ponieważ mu powiedziałam, że go opuszczam... Ale co z chłopakiem, z Pierre'em Le Clinche?

– Nie wiem.

– Proszę powiedzieć!

Nie! Pozostawił ją na łasce losu. Na pomoście zauważył Marie Léonnec, jej ojca i panią Maigret. Cała trójka zwrócona była w stronę trałowca. Kiedy ich mijał, Marie Léonnec powiedziała w uniesieniu:

– To jego statek...

Maigret nie miał humoru, podchodził do nich powoli. Żona pierwsza wypatrzyła go w tłumie ludzi, którzy żegnali statek płynący do Nowej Fundlandii.

– Uratowany?

Zaniepokojony pan Léonnec zwrócił ku niemu swój niekształtny nos.

– Ach, cieszę się, że pana widzę... Na jakim etapie śledztwa jest pan teraz, panie komisarzu?

– Na żadnym.

– To znaczy?

– Nic... Nie wiem...

Marie otworzyła szeroko oczy.

– Ale Pierre?...

– Operacja się udała. Wygląda na to, że jest uratowany...

– Jest niewinny, prawda? Błagam pana... Niech pan powie mojemu ojcu, że jest niewinny...

Włożyła w to całą swoją duszę. A Maigret, patrząc na nią, wyobrażał sobie, jak będzie wyglądała za dziesięć lat, mając rysy swojego ojca, nieco surowy wygląd, w sam raz, by zaimponować klientom sklepu.

– Nie zabił kapitana – powiedział.

Następnie zwrócił się do żony:

– Właśnie dostałem telegram wzywający mnie do Paryża...

– Już? Obiecałam, że jutro się wykąpię z...

Zrozumiała jego spojrzenie.

– Państwo wybaczą...

– Odprowadzimy państwa do hotelu.

Maigret zauważył ojca Jeana-Marie. Był kompletnie pijany i wygrażał pięścią w stronę statku. Komisarz odwrócił głowę.

– Proszę sobie nie przeszkadzać...

– Proszę mi powiedzieć, czy sądzi pan, że mogę go przetransportować do Quimper? – zapytał Léonnec. – Ludzie z pewnością będą gadać...

Marie patrzyła na niego błagalnie. Była blada. Wyjąkała:

– Skoro jest niewinny...

Maigret przybrał zrzędliwy wyraz twarzy, patrzył roztargnionym wzrokiem.

– Nie wiem... Lepiej będzie w tym samym...

– Pozwoli pan jednak, że pana zaproszę... Butelka szampana?

– Dziękuję.

– Lampka?... Na przykład likierku benedyktyńskiego, jesteśmy przecież w regionie...

– Piwo.

Na górze pani Maigret pakowała walizki.

– A więc jest pan tego samego zdania, prawda? To dzielny chłopak, który...

Dziewczyna nadal patrzyła na niego tym wzrokiem. Wzrokiem, który błagał, by odpowiedział „tak".

– Myślę, że będzie dobrym mężem...

– I dobrym handlowcem! – dodał ojciec. – Nie wyobrażam sobie, żeby miał pływać miesiącami. Jak się ma żonę, to trzeba...

– Oczywiście!

– Zwłaszcza, że nie mam syna... Pan mnie z pewnością rozumie...

– Tak...

Maigret patrzył w kierunku schodów. W końcu ukazała się jego żona.

– Bagaże gotowe. Zdaje się, że pociąg jest tylko o...

– Nieważne! Wynajmiemy samochód!

A więc znowu uciekał!

– Jeśli będą państwo przejeżdżać kiedyś przez Quiper...

– Tak... tak...

I znowu ten wzrok dziewczyny! Chyba zrozumiała, że nie wszystko było takie oczywiste, jak się wydawało, ale zaklinała Maigreta, żeby milczał.

Chciała mieć swego narzeczonego.

Komisarz pożegnał się, zapłacił rachunek i opróżnił szklankę.

– Dziękuję panu po tysiąckroć, panie Maigret...

– Naprawdę nie ma za co...

Przyjechał samochód zamówiony przez telefon.

„...i, chyba że pan znalazł elementy, które mi umknęły, zakończyłem, zalecając umorzenie sprawy...".

Był to fragment listu komisarza Greniera z brygady lotnej z Hawru do Maigreta, który odpowiedział telegraficznie:

Zgoda.

Sześć miesięcy później otrzymał zawiadomienie o ślubie:

„Pani Le Clinche, wdowa, ma zaszczyt zawiadomić Pana o ślubie swego syna Pierre'a z panną Marie Léonnec..."

A później, kiedy w związku ze śledztwem trafił do burdelu przy ulicy Pasquier, rozpoznał, jak sądzi, młodą kobietę, która odwróciła głowę.

Adèle!

To wszystko! Ach, jeszcze jedno. Pięć lat później Maigret był przejazdem w Quimper. Przed sklepem z linami zauważył sprzedawcę. Był to jeszcze młody mężczyzna, bardzo wysoki, z rysującym się już brzuszkiem.

Nieznacznie kulał. Zawołał trzyletniego chłopca, który bawił się na chodniku bąkiem.

– Wracasz, Pierrot?... Mama będzie krzyczeć...

Mężczyzna, zbyt zajęty swoją pociechą, nie poznał Maigreta, który przyspieszył kroku, odwrócił głowę i przybrał dziwny wyraz twarzy.

Spis treści

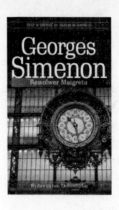

Georges Simenon
Rewolwer Maigreta

Z salonu w mieszkaniu komisarza Maigreta znika w tajemniczy sposób rewolwer Smith and Wesson 45. W przechowalni na dworcu Północnym w Paryżu zostaje odnaleziony kufer ze zwłokami zastrzelonego mężczyzny. Czy te wydarzenia mają ze sobą związek? Skomplikowane śledztwo wymaga wizyty Maigreta w Londynie.

Tytuł oryginału
Au rendez-vous des Terre-Neuvas

Au rendez-vous des Terre-Neuvas © 1931, Georges Simenon Limited,
a Chorion Company. All right reserved.
Maigret w portowej kafejce © 2007, Georges Simenon Limited, a Chorion
Company. All rights reserved.

Zdjęcie na okładce
Adrian Beesley

Redakcja
Katarzyna Bogaczyńska

Redakcja techniczna
Natalia Wielęgowska

Wydawnictwo Dolnośląskie Sp. z o.o.
ul. Podwale 62, 50-010 Wrocław

Wrocław 2007

ISBN 978-83-7384-394-3